Redes sociales

Edición 2015

Ana Martos Rubio

Edición española:

Juan Ignacio Luca de Tena, 15.
28027, Madrid
Depósito legal: M. 4.424-2015
ISBN: 978-84-415-3696-8
Printed in Spain

Índice

I

Introducción

Las redes sociales existen desde que el homínido adquirió una estructura cerebral que le permitió desarrollar sentimientos de apego, de solidaridad y de compasión, emociones que cambiaron su comportamiento social. Gracias a ella, en lugar de abandonar a los débiles, a los heridos, a los enfermos y a los ancianos a su suerte, los grupos humanos aprendieron a curar sus heridas, a atender sus necesidades y a dolerse con su dolor.

Las primeras redes sociales se forjaron, pues, en el paisaje prehistórico, donde los primeros humanos se agruparon para ayudarse, para protegerse, para compartir alimentos, tareas y funciones. Y se consolidaron cuando supieron que su destino final era morir y aprendieron a respetar a los muertos y a no abandonarlos, sino a enterrarlos con signos de amor y de reverencia.

Todos formamos parte de alguna red social, porque el ser humano es así, sociable, necesitado de afecto, de compañía y de ayuda y, casi siempre, solidario. Contamos con la red social de la familia que nos apoya, de los amigos que nos comprenden, de los colegas con los que compartimos experiencias laborales y profesionales.

Familiares, amigos, colegas y conocidos amplían nuestras redes sociales exponencialmente, porque cada red se diversifica en numerosas redes que, a través de uno o más contactos, están a nuestro alcance.

Las redes sociales existen, pues, desde siempre y sin necesidad de tecnología. Internet no ha hecho más que facilitar las cosas, pero las ha facilitado de tal manera que hoy podemos elegir el método más adecuado para comunicarnos con los nuestros o, si es nuestro deseo, para ampliar el abanico de contactos hasta el infinito.

Este libro le ayudará a adentrarse en la actualidad de las redes sociales que se basan en Internet, a conocer sus beneficios y a defenderse de sus peligros. Le pondrá en el camino para, si lo desea, profundizar en su utilización y provecho. Y, si es también su deseo, le mostrará el camino de regreso.

1

LAS REDES SOCIALES EN EL SIGLO XXI

Las redes sociales se forman estableciendo vínculos de diferentes tipos entre individuos, grupos u organizaciones. El ejemplo más sencillo para una red social es un club en el que los socios se encuentran, se saludan, intercambian impresiones, ideas, noticias, interactúan en diferentes aspectos y se presentan los unos a los otros, ampliando cada uno su red de amistades, conocimientos y contactos.

Figura 1.1. Las redes sociales enlazan personas en todo el mundo.

HISTORIA Y EVOLUCIÓN DE LAS REDES SOCIALES

Las redes sociales existen desde que el ser humano adquirió el apego, un sentimiento que abrió la puerta a la solidaridad, a la compasión y a la empatía. Las primeras redes sociales datan, pues, de los tiempos arcaicos en que los grupos humanos establecieron lazos afectivos y compartieron no solamente agua, comida, fuego y tareas, sino sentimientos.

La evolución de la humanidad desde los primeros clanes prehistóricos hacia sociedades, primero nómadas y luego sedentarias, convirtió a las redes sociales en instrumentos para lograr o afianzar posiciones dentro y fuera de cada colectivo, estableciendo nuevas alianzas o reforzando las existentes mediante uniones matrimoniales, comerciales o políticas. Las redes sociales han sido siempre el recurso más eficaz para conseguir un trabajo, una amistad, un contacto o el acceso a una institución o sociedad particular.

Figura 1.2. En el siglo XXI, las redes sociales emplean las tecnologías de la comunicación.

En los años setenta, los ordenadores aprendieron a comunicarse por correo electrónico y los usuarios pudieron divulgar información mediante los primeros tableros y boletines electrónicos. En los noventa, el surgimiento de Internet produjo los primeros sitios Web en que los usuarios pudieron publicar información personalizada conectando con otros usuarios de intereses similares.

Pronto aparecieron los primeros programas de mensajería instantánea que mantenían a los usuarios en conexión y compartían experiencias conversando a través de los chats.

La era de Internet, que en 2000 alcanzó la cifra de setenta millones de ordenadores conectados entre sí, convirtió a las redes sociales en un fenómeno que abarca prácticamente todos los campos, como el académico, el empresarial o el cultural, para demostrar que la tecnología no aísla, sino que reúne. Las redes sociales, tanto en el mundo virtual de Internet como en el mundo físico real en el que nos movemos, son capaces de convertir los fenómenos privados, como la amistad o la cooperación profesional, en fenómenos colectivos e, incluso, multitudinarios. Todo ello, utilizando los innumerables recursos que ofrecen las tecnologías de la información.

FUNCIONAMIENTO DE LAS REDES SOCIALES

Las redes sociales permiten a los usuarios compartir preferencias, fotografías, vídeos o circunstancias personales o profesionales, pero siempre supeditados a las condiciones de uso y funciones de cada red. Su funcionamiento se establece mediante acciones de los usuarios, que interactúan a través de la red.

Tras crear una cuenta, cada usuario personaliza su perfil y envía mensajes a otros usuarios de la red para solicitar conectarse a ellos a través de la propia red. Los usuarios que aceptan la solicitud pasan a formar parte de la lista de contactos que conforma su red social privada. Una vez establecidos estos vínculos, los usuarios pueden relacionarse compartiendo contenidos e información en general.

El servicio de las redes sociales suele proponer las siguientes actividades:

- Compartir contenido como fotografías, vídeos, páginas web, textos, música o noticias.

- Enviar mensajes privados a otros usuarios.
- Participar en los juegos sociales que ofrece el servicio.
- Comentar el contenido compartido por otros usuarios.
- Publicar eventos para anunciar acontecimientos a su red de contactos.
- Hablar en tiempo real con uno o más usuarios mediante chat o videoconferencia.
- Crear grupos exclusivos para determinados contactos.
- Publicar comentarios en el perfil o espacio personal de otros usuarios.

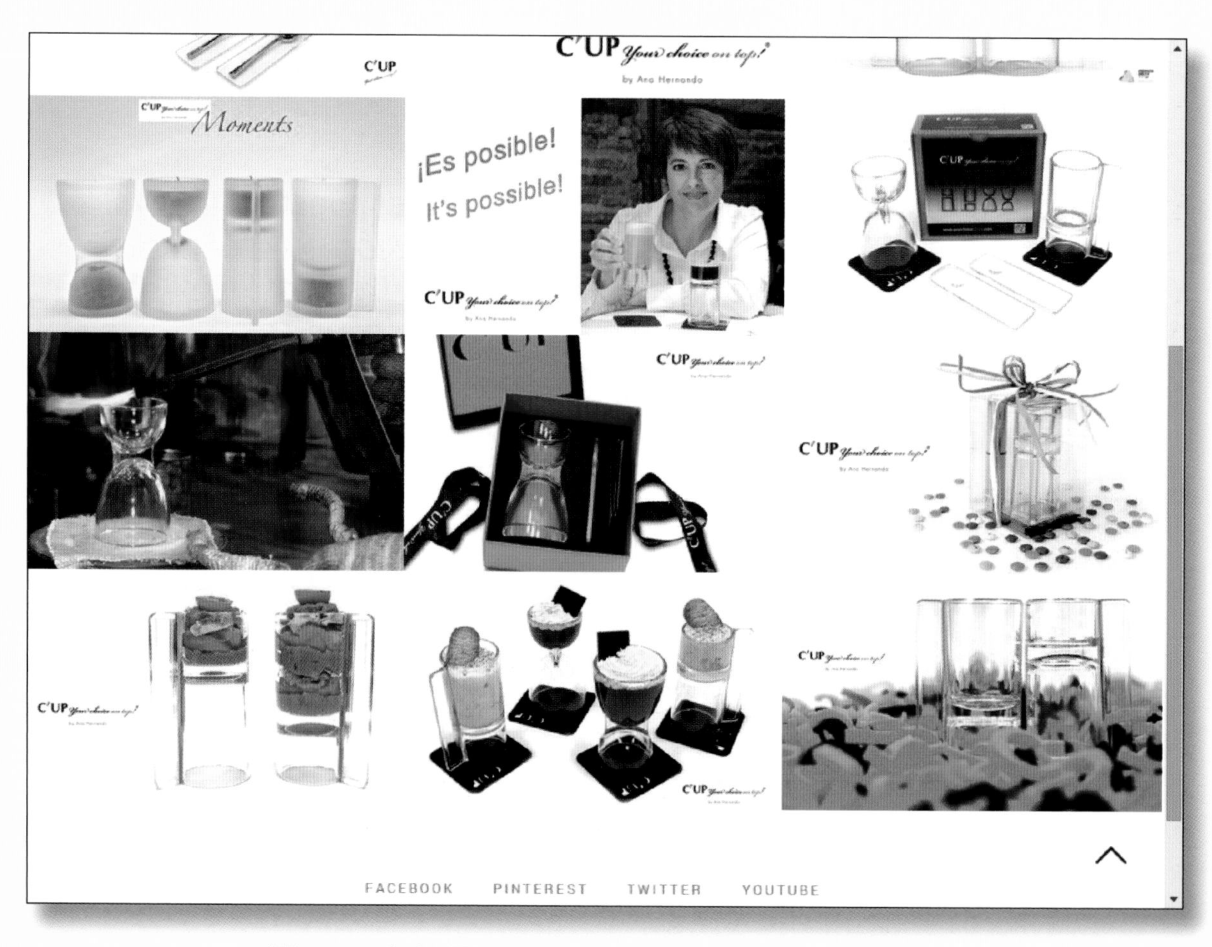

Figura 1.3. El objetivo de las redes sociales es compartir e intercambiar.

TIPOS DE REDES SOCIALES

Las redes sociales no son únicamente instrumentos de ocio, es decir, una red social no tiene por qué equipararse a un club social dedicado al entretenimiento de los socios, sino que hay muchas redes que fomentan la promoción profesional o permiten la agrupación con un fin determinado, como toda la vida hubo asociaciones de abogados, médicos, comerciantes, vecinos, voluntarios, etc: abogados o médicos que se agrupan para intercambiar experiencias, para apoyarse, para solicitar y recibir asesoría o consejo; comerciantes que se agrupan para conseguir facilidades para su gestión, para abrir nuevas vías o regular situaciones; vecinos que se unen para luchar contra una situación no deseada o para obtener mejoras en su inmueble o en su barrio; voluntarios que se agrupan para ayudar a un colectivo desfavorecido.

Estos mismos abogados, médicos, comerciantes, vecinos o voluntarios podrían, sin duda, ejercer su profesión o actividad sin agruparse con otros, pero sus acciones no estarían tan bien definidas y encaminadas como a través de una asociación o red social. Nunca mejor aplicado el dicho de que la unión hace la fuerza.

Podríamos, por tanto, agrupar las redes en tres tipos: generalistas, profesionales y especializadas.

Redes generalistas

Las redes generalistas abarcan cualquier tipo de actividad y cualquier tipo de personas. Sus miembros son gentes de todas clases que se adhieren a una plataforma social con el objeto de comunicarse con otras personas o de compartir sus experiencias o ideas con personas de todo tipo. También hay muchas personas que se dan de alta en una de estas redes simplemente respondiendo al mensaje de algún amigo o conocido que les invita a participar y a adherirse a esa red determinada. Muchos de los miembros de estas redes sociales generalistas no realizan actividad alguna en la plataforma y se limitan a conectarse al espacio de amigos o conocidos cuando estos les invitan. Ser miembro de una red social, por tanto, no significa tener que participar activamente, sino solamente estar registrado en ella como usuario y aportar unos cuantos datos personales que no necesariamente tienen que estar al alcance de los demás participantes.

Las redes sociales generalistas permiten a los usuarios formar grupos dedicados a determinadas actividades o perseguidores de determinados intereses. Según Online Business School, las más utilizadas por 17 millones de usuarios españoles en 2014 fueron Facebook, Twitter y Google+.

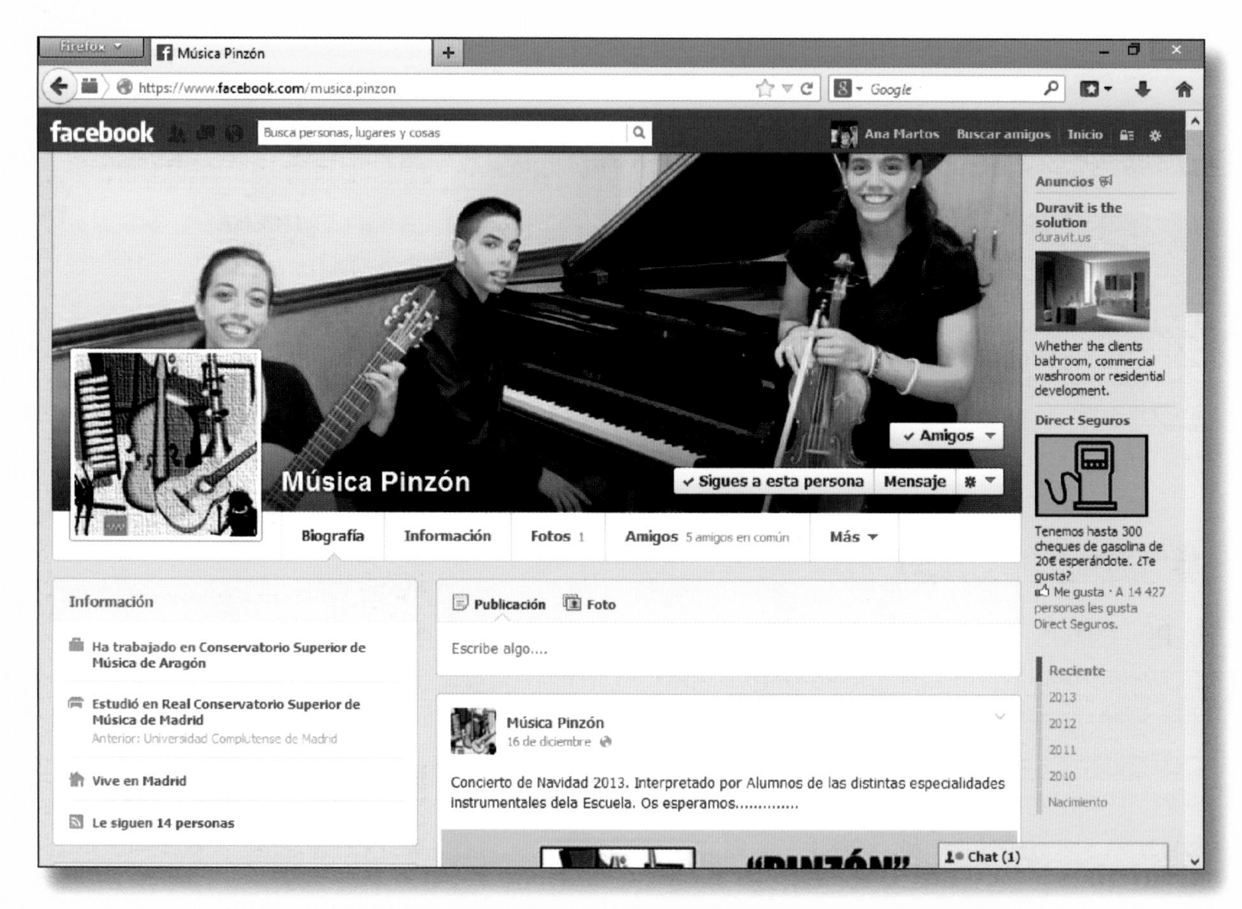

Figura 1.4. Facebook es una red social generalista.

Redes profesionales

Existen numerosas redes sociales que agrupan a personas bajo intereses profesionales de todo tipo, de forma que pueden formar grupos específicos para colaborar entre sí, compartir conocimientos y experiencias, poner en marcha sus redes privadas para conseguir determinado fin o recabar ayuda de miembros de la misma profesión.

Se pueden equiparar a los colegios profesionales o a las asociaciones de empresarios, de comerciantes, de deportistas, etc. La red profesional más conocida es LinkedIn. Hablaremos de ella en un capítulo posterior.

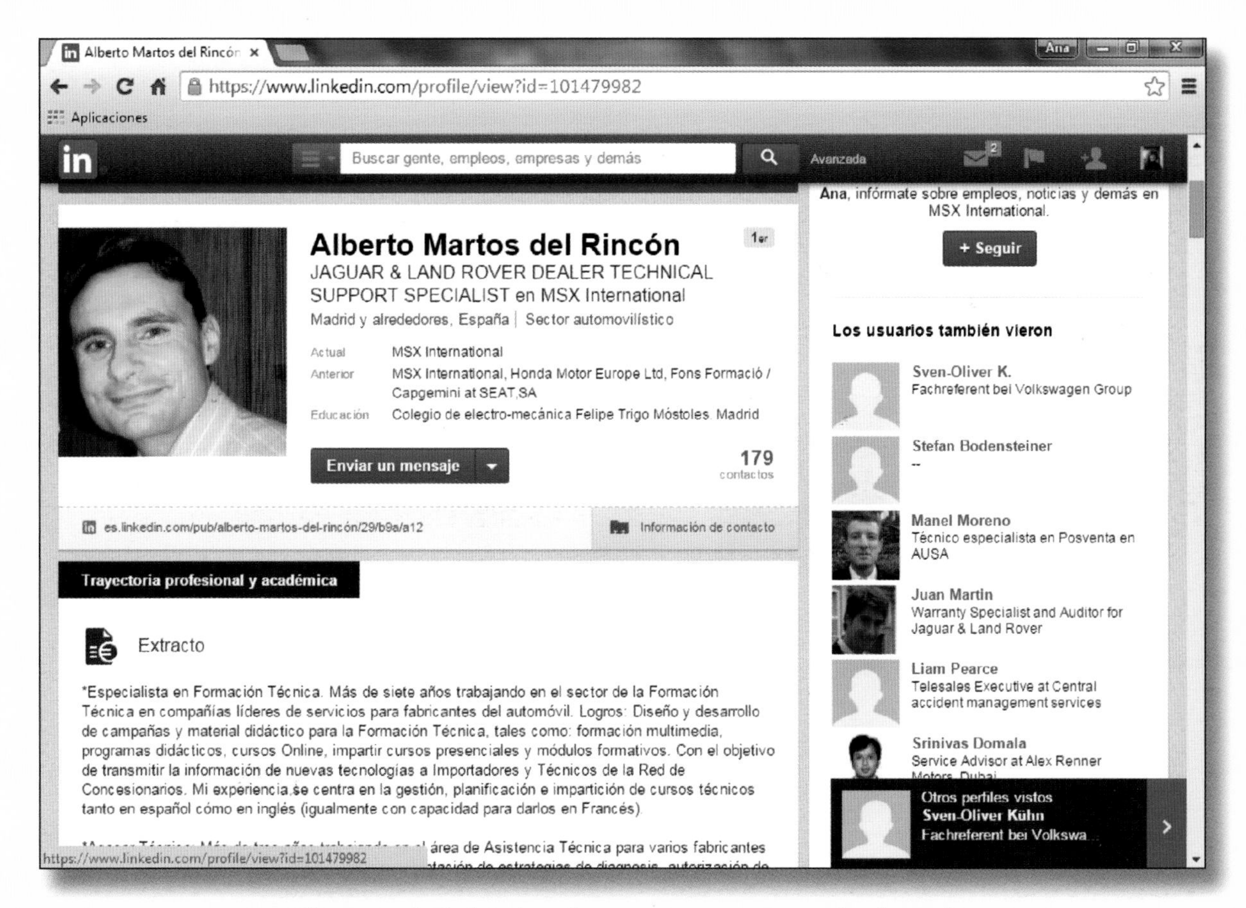

Figura 1.5. LinkedIn es una red profesional.

Redes especializadas

Existen en Internet numerosos foros y redes sociales especializados en los temas más diversos. Hay redes sociales financieras equivalentes a clubes de inversores, pero situados en la Red; hay asimismo redes que permite a los usuarios intercambiar préstamos de forma segura y rentable.

Hay también redes sociales para coleccionistas, plataformas para gestionar las colecciones y permitir que los usuarios contacten entre sí e intercambien objetos. Estas redes incluyen foros para comentar y asesorarse, así como métodos de intercambio y compraventa legal.

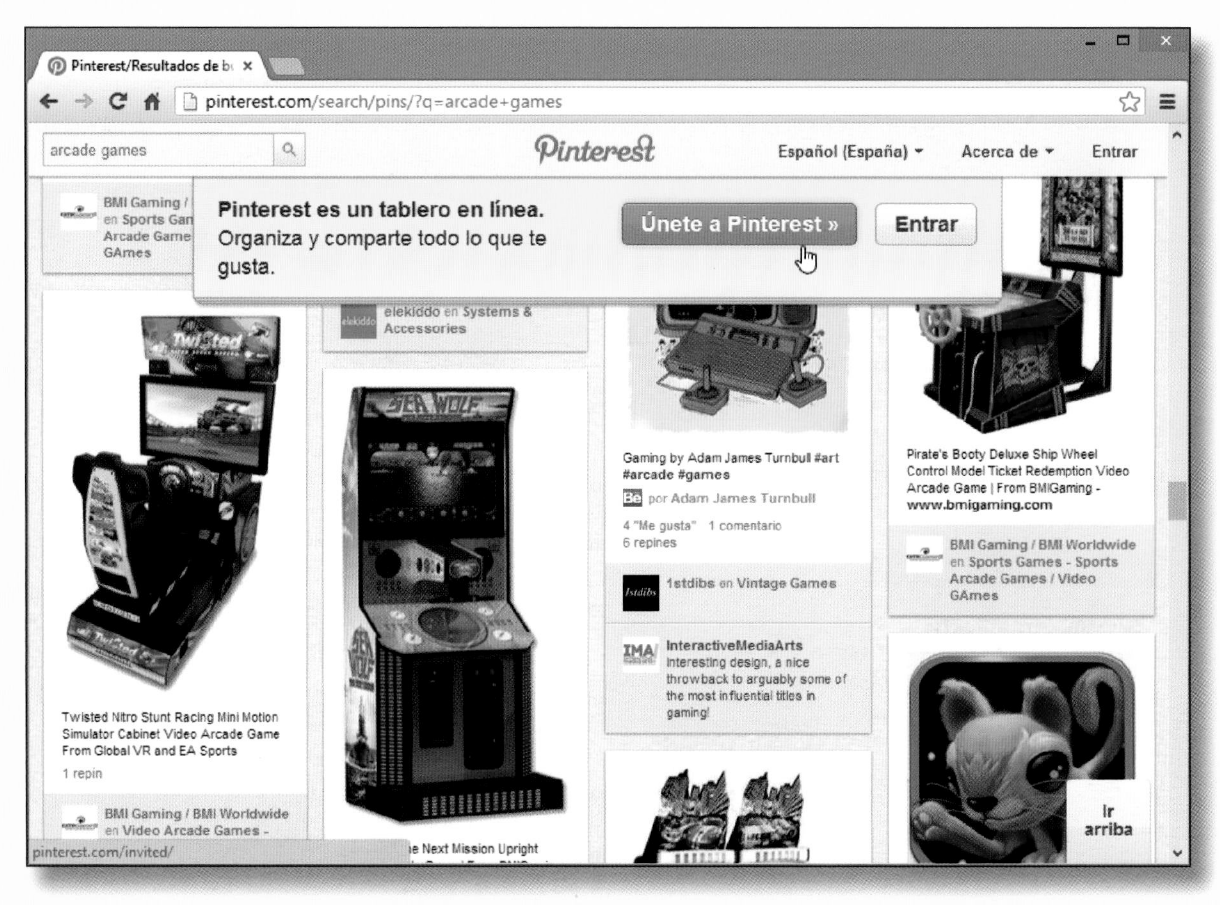

Figura 1.6. Pinterest es una red social especializada para compartir imágenes.

Podemos encontrar en Internet redes sociales especializadas dedicadas a la música, al arte, al deporte, al cine, a los viajes o a la literatura. En los siguientes capítulos hablaremos de algunas de estas redes.

CONCEPTOS FRECUENTES EN LAS REDES SOCIALES

Antes de adentrarse en una red social, es conveniente conocer el significado del vocabulario utilizado y comprender ciertos conceptos:

- **Cuenta**. El conjunto de información que permite el acceso a una red social a través de la identificación de usuario. Consta de un nombre de usuario y una contraseña que en ciertos casos es una cuenta de correo electrónico.
- **Perfil**. El conjunto de datos personales y rasgos propios que caracterizan a un usuario dentro de una red social, como su nombre, fotografía, lugar de residencia o preferencias. El perfil representa su identidad virtual. Puede incluir una fotografía del usuario o bien un avatar, es decir, una imagen elegida por el usuario para representarle en esa red social.
- **Contactos**. Lista de personas cuyas direcciones electrónicas aparecen en la agenda del usuario.
- **Amigos**. Contactos con los que el usuario comparte e intercambia información y con los que puede o no mantener una relación familiar, profesional o social.
- **Estado**. Situación, circunstancia o disposición del usuario de una red social. Puede compartirla directamente o permitir que la red la comunique de manera automática, indicando su disponibilidad o actividad en ese momento.

- **Evento**. Un acontecimiento, como una publicación o un mensaje que se anuncia a otros usuarios de la red social para que participen del mismo.
- **Grupo**. Un servicio que proporcionan las redes sociales para crear colectivos de usuarios con un interés u objetivo común. Los grupos crean espacios donde los miembros pueden compartir información y contenidos de forma privada o abierta.
- **Hashtag**. Una etiqueta utilizada en Twitter y otras redes para clasificar las publicaciones o mensajes por temas específicos. Se representa mediante una almohadilla (#) delante de la palabra o palabras clave del tema. Por ejemplo, #Educación etiqueta mensajes que tratan de ese tema.
- **Muro**. El espacio del usuario de una red social que comparte con el resto de sus contactos, donde estos pueden publicar sus comentarios u opiniones.
- **Post**. Es una entrada, un mensaje o una publicación en una red social que puede consistir en un texto, opinión, comentario, enlace o archivo compartido.
- **Seguir**. Suscribirse a los mensajes o publicaciones de otros usuarios. Este seguimiento o suscripción no es necesariamente recíproco. Shakira, por ejemplo, tiene nueve millones de seguidores a los que, naturalmente, no sigue.
- **Me gusta**. En Facebook y otras redes, el seguimiento de un usuario se inicia haciendo clic en **Me gusta**.

- **Solicitud de amistad o de contacto**. Es un mensaje enviado a otro usuario como una petición para integrarle en la lista de contactos de una red social. Una vez recibida la solicitud, el usuario puede aceptar y agregar al nuevo contacto a su propia lista para compartir con él su contenido e información. También puede desestimar la petición e incluso bloquear al usuario demandante si le resulta inoportuno.

LA NETIQUETA

La netiqueta es la etiqueta de la Red (*net* en inglés) y es de aplicación a las redes sociales, igual que lo es al correo electrónico, al chat, a los foros, a la mensajería instantánea y a todos los recursos en que los usuarios se encuentran, se comunican o comparten contenidos.

Pero la netiqueta no es algo rígido que deba observarse por igual en todas las redes sociales, sino que cada una tiene sus normas de comportamiento aceptadas por los usuarios y por la empresa responsable de la red.

Por ejemplo, en Facebook no es posible agregar nombres de personas o grupos a la lista de amigos o contactos, hasta que dichas personas o grupos lo admitan. Lo mismo sucede en LinkedIn donde es preciso esperar a que la persona contactada acepte la invitación para poder agregarla a la lista de contactos, a la red particular o al grupo de un usuario.

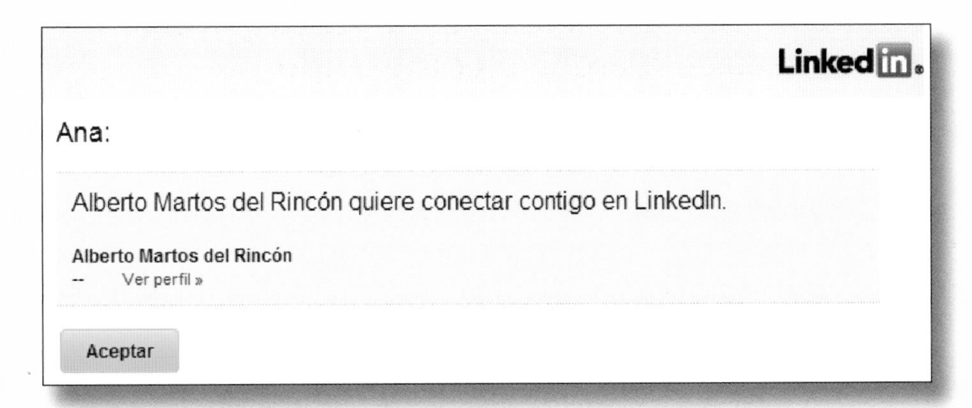

Figura 1.7. La red profesional LinkedIn solicita permiso para agregar a una persona a la red de un usuario.

La escritora y consultora tecnológica Mar Monsoriu ha publicado una lista de normas sociales que constituyen la netiqueta aplicable a la redes sociales de Internet. Básicamente, son las siguientes:

- No escribir palabras con letras mayúsculas. Las mayúsculas son el equivalente gráfico a gritar.

- No publicar en el muro de un usuario cosas privadas que solamente a ese usuario interesan. El muro de un usuario es visible para todos.
- Nunca publicar en el muro de un usuario algo que le pueda perjudicar u ofender.
- Si alguien envía por error un mensaje con copia visible a todos sus contactos, se debe responder únicamente al remitente.
- A lo hora de invitar a alguien a un evento, a un grupo o a una actividad, no debe escribirse la invitación en su muro, sino en un mensaje directo.
- Resulta de mala educación publicar en muros ajenos lo que solo a nosotros nos interesa.
- Nunca publicar fotografías o vídeos en los que aparezcan otras personas sin obtener su consentimiento.
- No utilizar los rumores como si fueran información fiable. No compartirlos con otros usuarios.

RECURSOS Y HERRAMIENTAS PARA LAS REDES SOCIALES

El teléfono móvil, la tableta electrónica y el ordenador portátil cuentan con las herramientas necesarias para la comunicación en las redes sociales. Sin embargo, los ordenadores de sobremesa no suelen disponer de algunos recursos que es preciso acoplarles para complementar su capacidad de comunicación, por ejemplo, la cámara Web y el micrófono.

- **El micrófono y los altavoces**. Se conectan mediante un jack similar y a cada uno corresponde un puerto del ordenador, también de características similares. Si hay tres puertos iguales, aunque con colores diferentes, el tercero corresponderá a los auriculares.

En este caso, la entrada del micrófono suele estar indicada por la palabra *Phone*, por la palabra *Mic* o por un icono que representa un micrófono. La de los auriculares suele estar representada por la palabra *Speaker* o el símbolo Ω. El puerto correspondiente a los altavoces suele llevar la indicación *Line-Out*. Si hay un cuarto puerto para conectar un equipo de sonido o un televisor, la indicación más probable será *Line-In*. Si tiene una pantalla plana, lo más seguro es que lleve los altavoces incorporados. También puede utilizar altavoces inalámbricos con tecnología *Bluetooth*.

- **La cámara Web o webcam** permite mostrar la propia imagen en la pantalla del equipo del interlocutor. Si el interlocutor tiene webcam, usted podrá verle mientras conversan.

  Las cámaras Web se conectan al ordenador a través de un puerto USB. Algunas llevan el micrófono incorporado. Los ordenadores portátiles modernos llevan la webcam incorporada, al igual que el micrófono.

Recursos para la comunicación social

Las redes sociales ofrecen numerosos recursos para la comunicación entre usuarios. Veamos algunos:

- **Chats**. Muchas redes sociales tienen integrado un módulo de chat que permite conversar directamente con los usuarios que estén conectados. El chat de Facebook, por ejemplo, está siempre activo en una pequeña ventana situada en la parte inferior derecha de la pantalla y muestra el número de personas que están conectadas en cada momento.

Figura 1.8. El chat de Facebook muestra una ventana con las personas conectadas.

- **Vídeos**. La mayoría de las redes sociales permiten intercambiar vídeos, insertándolos en la cuenta o enviándolos a otros usuarios. Las plataformas que permiten compartir vídeos, como YouTube o Dropbox, tienen un icono para insertarlos en la red social que el usuario desee. La figura 1.9 muestra los iconos de varias redes sociales en las que se puede compartir un vídeo publicado en YouTube.

Figura 1.13. Estos iconos permiten compartir vídeos en las redes sociales.

- **Emoticonos**. En Internet, se llaman emoticonos a los símbolos que representan distintos estados de ánimo. Se emplean en el correo electrónico, en los chats, en la mensajería y en las redes sociales, para dar a los mensajes un significado emocional, como alegría, tristeza, entusiasmo o admiración.
- **Felicitaciones**. Muchas redes sociales ofrecen avisos de acontecimientos sociales, como el cumpleaños de las personas que figuran en la lista de contactos. Junto con el aviso, suele haber una ventana o enlace para felicitar a la persona.
- **Presentaciones**. Muchas plataformas de Internet, como Slideshare, permiten compartir con usuarios de las redes sociales las presentaciones con diapositivas creadas con PowerPoint o generadas con las propias herramientas de la plataforma.

2

La seguridad y la privacidad en las redes sociales

Todos los métodos de seguridad que se aplican en Internet deben aplicarse a las redes sociales, puesto que en ellas se tratan y comentan muchas veces temas personales y sensibles y, además, se hace uso de información privada.

Es importante tener en cuenta que el intercambio de impresiones, ideas y contenidos que se realiza en una red social se convierte en un hecho público, al que pueden tener acceso personas ajenas o desconocidas, incluso de forma casual. Para entenderlo, podríamos compararlo al hecho de compartir una información confidencial con personas de la vida real. Una vez compartida, la información forma parte del activo de la red social de la vida real y está expuesta a la posible indiscreción de alguna de las personas que la componen.

Asimelec (Asociación Multisectorial de Empresas Españolas y Comunicaciones) ofrece una guía práctica sobre protección de datos para personas mayores. Puede descargarla de la forma siguiente:

PRÁCTICA:

Descargue la guía de Asimelec.

1. Ponga en marcha su navegador de Internet.
2. En la casilla de búsquedas del buscador, escriba `asimelec guía seguridad mayores` y pulse la tecla **Intro**.
3. En la página siguiente encontrará varios documentos sobre la Guía. Haga clic en el enlace Aprenda a proteger sus datos - Agencia Española de Protección de datos.
4. La Guía aparecerá en la carpeta **Descargas** de su equipo.

5. Localícela con el Explorador de Windows y haga doble clic para abrirla. Puede leerla con el lector de Windows 8 o con un programa de lectura de documentos en formato pdf, como Adobe Reader o Nitro.

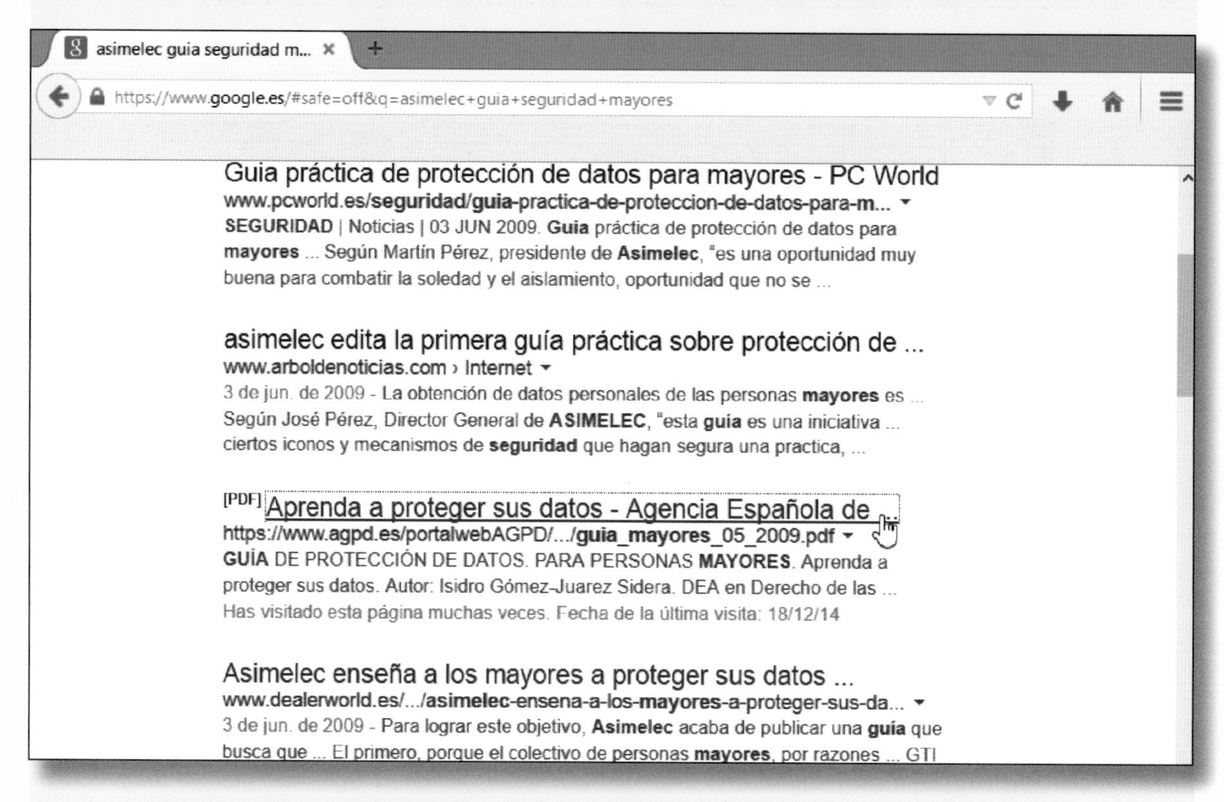

Figura 2.1. Descargue la guía de Asimelec para protección de datos de personas mayores.

LOS RIESGOS DE LAS REDES SOCIALES

Las redes sociales son públicas y a ellas puede adherirse cualquier persona que cumpla con la normativa de la red y se comporte adecuadamente. Pero eso no significa que la persona de comportamiento ejemplar no trate de estafar, perseguir o dañar a otros usuarios. Mientras no se descubra esa conducta, seguirá siendo un usuario más con todos los derechos.

Esto es aplicable a cualquier red social de Internet o de la calle donde, por desgracia, abundan los ejemplos de personas aparentemente intachables pero que ocultan intenciones aviesas y tienen conductas perversas.

Los expertos dividen los peligros que entrañan las redes sociales en tres grupos:

Figura 2.2. Un mensaje sospechoso típico de Internet.

- **Mensajes dudosos**. Entre los mensajes que se reciben para invitar a adherirse a un grupo o a una red social puede haber alguno que excite la curiosidad del usuario con el fin de conducirle a un lugar inseguro. Por ejemplo, un experto señala que hay mensajes del tipo "Alguien piensa que eres muy especial. ¿Quieres saber quién es? Haz clic aquí". Cuando el destinatario de tal mensaje hace clic en el lugar indicado para satisfacer su curiosidad, accede a un lugar en el que se le invita a descargar gratuitamente un archivo que bien puede llevar un virus oculto o bien le invita a rellenar un formulario para recoger sus datos personales. Otros mensajes ofrecen regalos o premios si el usuario visita una determinada dirección de Internet donde, en lugar de un regalo, es posible que le introduzcan un programa espía o uno de esos virus conocidos como caballos de Troya que ponen el equipo en manos del timador y le permiten utilizarlo para fines ilegales o incluso nocivos.

- **Estafas**. Los timos y las estafas se producen en las redes sociales de Internet igual que en las redes sociales físicas, con la ventaja a favor del timador de que Internet le permite ocultarse tras el anonimato. Una de las estafas más conocidas es el llamado *phishing*, que consiste en usurpar la identidad de una entidad para enviar al usuario mensajes en los que se solicitan datos de acceso a su cuenta. Otra estafa popular en la Red es la venta de entradas para espectáculos, que después no tienen validez alguna.

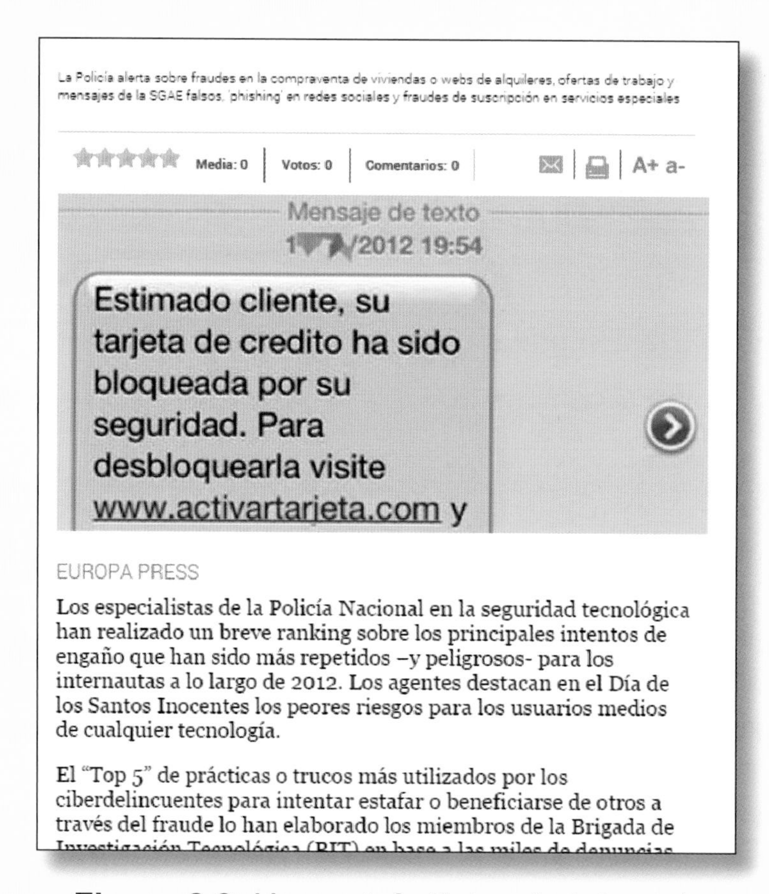
La Policía alerta sobre fraudes en la compraventa de viviendas o webs de alquileres, ofertas de trabajo y mensajes de la SGAE falsos, 'phishing' en redes sociales y fraudes de suscripción en servicios especiales

Media: 0 | Votos: 0 | Comentarios: 0 | A+ a-

EUROPA PRESS

Los especialistas de la Policía Nacional en la seguridad tecnológica han realizado un breve ranking sobre los principales intentos de engaño que han sido más repetidos –y peligrosos- para los internautas a lo largo de 2012. Los agentes destacan en el Día de los Santos Inocentes los peores riesgos para los usuarios medios de cualquier tecnología.

El "Top 5" de prácticas o trucos más utilizados por los ciberdelincuentes para intentar estafar o beneficiarse de otros a través del fraude lo han elaborado los miembros de la Brigada de

Figura 2.3. Una estafa típica de Internet.

- **Acoso publicitario**. Las redes sociales son lugares virtuales en los que se mueven muchas personas, con muchas direcciones de correo electrónico y con muchos datos personales. Y eso es siempre un atractivo para los publicistas. Al fin y al cabo, una red social es un lugar de reunión de personas que declaran, casi siempre, sus gustos y preferencias, lo que facilita al publicista la elección de propaganda personalizada. Además, muchos de los portales y sitios de Internet gratuitos viven de la publicidad. El acoso publicitario en Internet o el envío de mensajes no deseados se conoce como *spam*, que es la contracción de *Spiced Ham*, una marca de latas de jamón en conserva que se vende en los Estados Unidos.

Figura 2.4. Publicidad en el correo electrónico.

LOS DATOS PERSONALES

Algunas veces es imprescindible proporcionar datos personales, como la dirección, la edad o los datos bancarios, a alguna entidad, por ejemplo, la Administración, el Banco o, en Internet, los sitios Web en los que nos damos de alta. Las redes sociales, como la mayoría de los sitios gratuitos de Internet, utilizan nuestros datos personales para distintas formas y grados de publicidad, lo cual viene a ser el precio que hay que pagar por la gratuidad de sus servicios. Por ejemplo, cada vez que usted haga clic en el icono **Me gusta**, en Facebook, el programa podrá utilizar esa información para poner en su página publicidad acorde con sus intereses, si bien, usted siempre tendrá la opción de hacer desaparecer de su página el tipo de publicidad o contenidos que le desagrade.

Uno de nuestros derechos fundamentales es el de controlar nuestros datos personales en cualquier momento y situación y existe una legislación que protege esa información. Por tanto, la única persona que puede controlar y disponer de ella es el propietario. La entidad que vela por la protección de los datos personales es la Agencia de Protección de Datos. El derecho a la protección de los datos de carácter personal se ejerce, naturalmente, en Internet, y la Agencia de Protección de Datos controla asimismo los sitios Web que recogen tal información.

LOS DERECHOS DEL USUARIO

A la hora de darse de alta en un sitio Web o en una plataforma social de Internet, es recomendable no proporcionar más datos que los imprescindibles y no olvidar en ningún momento que tenemos derecho a:

- Acceder a esos datos cuando lo deseemos.
- Rectificarlos si es nuestro deseo.

- Cancelarlos, obligando a la entidad que los tiene registrados a eliminarlos de sus archivos y documentos.
- Oponernos a que se utilicen con fines publicitarios u otros distintos a aquellos para los que han sido recabados.

Info: Encontrará la Agencia de Protección de Datos en la dirección `www.agpd.es`. En ella podrá descargar los formularios para denunciar casos de abuso y ejercer sus derechos.

PROTECCIÓN EN LAS REDES SOCIALES

El acceso a las redes sociales como el acceso a cualquier sitio de Internet requiere un mínimo de medidas de seguridad.

- La primera medida es una visita a la página del Instituto Nacional de Ciberseguridad, donde encontrará información y asesoría acerca de las amenazas de Internet y de la forma de protegerse. Se encuentra en `www.incibe.es`.
- La segunda es un antivirus. Si usted dispone de Windows 8, su ordenador está a salvo, porque el sistema cuenta con un programa llamado Windows Defender que protege su equipo. Si no dispone de Windows 8, debe instalar un antivirus en su equipo que lo proteja contra los ataques de virus y otras amenazas. Las últimas actualizaciones de Windows 7 suelen incorporar Windows Defender.
- La tercera consiste en actualizar con frecuencia todos los sistemas de seguridad instalados. Los antivirus protegen de las amenazas existentes en el momento en que se crean, pero los virus y los programas espía se modifican constantemente y siempre surge alguno nuevo que trata de burlar las barreras de los antivirus. Por eso es imprescindible

actualizar el antivirus con la mayor frecuencia posible, con el fin de que detecte las novedades y sepa cómo hacerles frente. En cuanto a Windows, tiene un método de actualización automática que se llama Windows Update. Es necesario que esté configurado para descargar actualizaciones e instalarlas sin intervención del usuario.

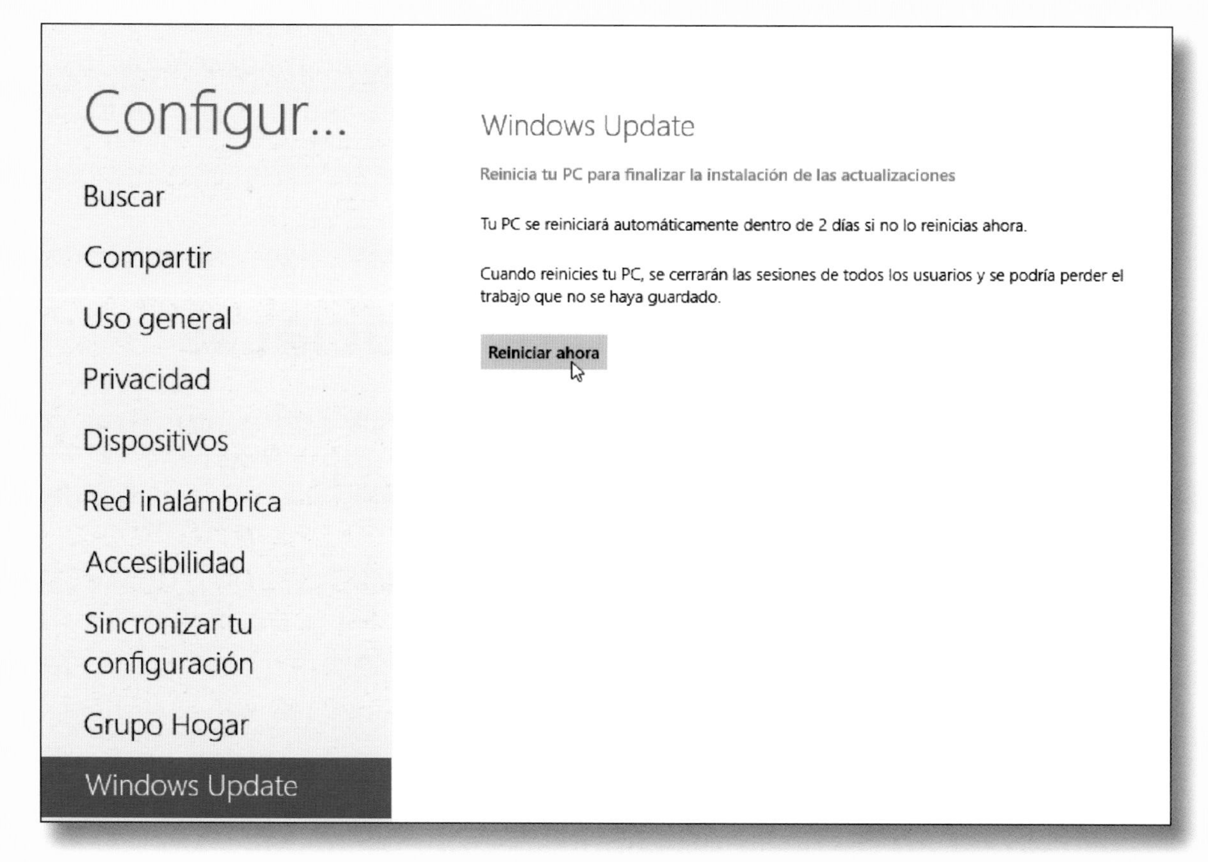

Figura 2.5. Windows Update actualiza y protege tu equipo.

Recomendaciones de los expertos

Para una red social, el hecho de que haya usuarios incorrectos es contraproducente incluso desde el punto de vista comercial. Por ello, los gestores de las redes se esmeran en mantenerlas correctas aportando las herramientas necesarias para salvaguardar la seguridad y la privacidad de los usuarios.

Los expertos recomiendan las siguientes precauciones:

- La mejor defensa es desconfiar. Internet es el lugar ideal para ocultar identidades o disfrazarlas con fines alevosos, por lo que hay que estar alerta y no confiar en desconocidos. De hecho, no es posible averiguar si la persona desconocida con la que nos estamos comunicando a través de Internet es quien dice ser ni mucho menos si va a cumplir lo que ofrece.
- Consultar siempre la política de privacidad de la página o red social en la que se integre.
- Desconfiar de mensajes de desconocidos del tipo "quiero conocerte" o "tengo algo especial para ti", porque generalmente son una trampa que desemboca en una estafa.
- No hacer pública la información personal. No se sabe lo que los demás pueden hacer con ella.
- No facilitar datos innecesarios para darse de alta, como son la información sobre temas familiares, económicos, bancarios, ideológicos, etc.
- Nunca hay que facilitar información acerca de familiares, amigos o conocidos, a quien lo solicita a través de Internet, porque es imposible saber qué uso va a darle. Y, mucho menos, información sobre datos económicos o bancarios.
- No enviar información personal ni fotografías a personas desconocidas que pueden utilizarlas sin consentimiento.
- No responder a peticiones de dinero, ni hacer caso a preguntas con intriga, siguiéndolas de enlace en enlace. Huir de los mensajes que se presentan como "especiales" o que indican que alguien nos quiere conocer.
- También hay que desconfiar de quienes prometen un regalo y solicitan el número de cuenta bancaria para ingresar un dinero. Tanto da que lo hagan por teléfono, por correo electrónico, por mensaje instantáneo o por cualquier otro sistema.
- Por último, no hay que descargar nada en el ordenador a no ser que se conozca completamente su procedencia.

Proteja sus datos en las redes sociales

Todas las redes sociales mantienen una política de utilización de datos que conviene leer para asegurarse de la protección que ofrece.

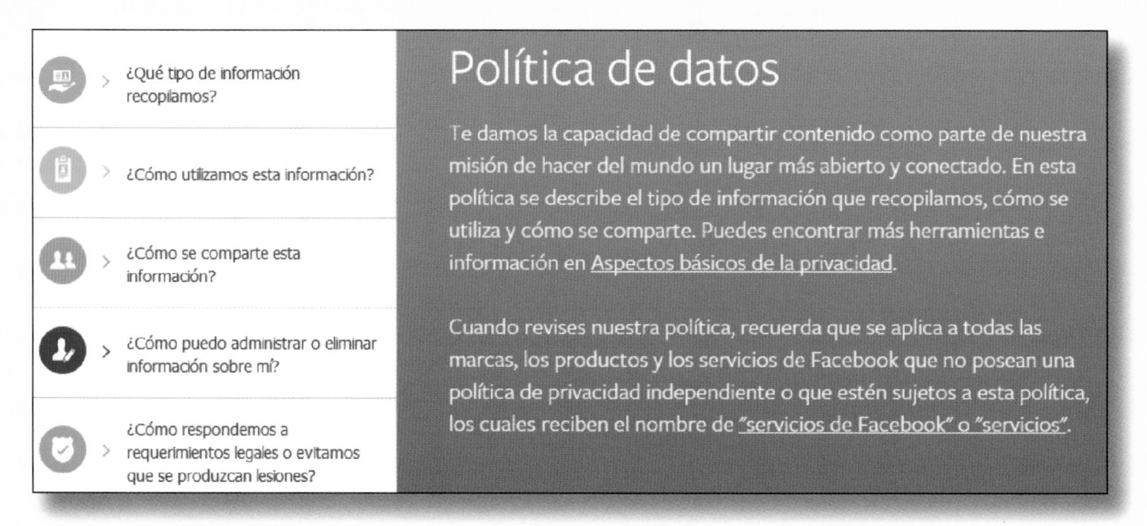

Figura 2.6. La política de privacidad de Facebook.

Truco: Si el enlace que lleva a la política de privacidad o a las normas de seguridad no está bien visible, recuerde que todas las redes sociales tienen un sistema de ayuda donde podrá localizarlos.

Cuenta pública o cuenta privada

En la mayoría de las redes sociales, es posible crear una cuenta pública o privada. Si la cuenta es pública, tanto el perfil como las publicaciones estarán a la vista de los demás usuarios. Si la cuenta es privada, tanto el perfil como las publicaciones se muestran únicamente a los usuarios autorizados expresamente.

En algunas redes, como Facebook, aunque la cuenta sea pública, se puede decidir en cada caso si el material a publicar puede ser visto por todo el mundo (público) o solamente por las personas aceptadas por el usuario (amigos).

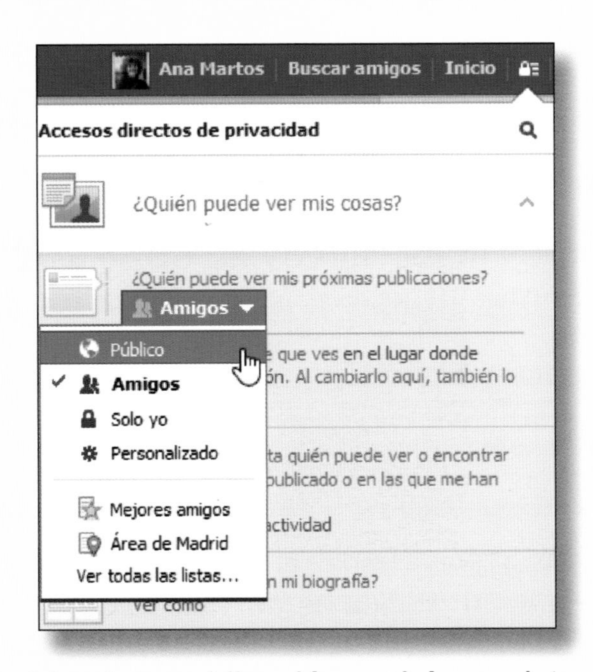

Figura 2.7. Decida si su publicación podrá ser vista por cualquiera o por quien usted autorice.

Denunciar comportamientos inadecuados

Si sus datos de acceso caen en manos de un pirata, su cuenta sufrirá las consecuencias, algo que usted podrá comprobar por los siguientes indicios:

- Que aparezcan en ella mensajes que usted no haya publicado.
- Que aparezcan en su bandeja de mensajes directos envíos sin que usted haya participado en ello, lo que indica que alguien ha utilizado su cuenta para enviar mensajes.
- Que se produzcan seguimientos sin que usted lo advierta, es decir, que usted se encuentre siguiendo a alguien, ya sea persona, entidad o evento, sin consentirlo.

- Que deje de seguir a alguien o aparezcan bloqueos que usted no haya realizado.
- Que se produzcan modificaciones en su cuenta de correo.
- Si la cuenta es privada, un signo claro de violación es que el perfil o los mensajes aparezcan públicamente.

En tal caso, es aconsejable tomar las medidas siguientes:

- Denuncie el caso. Las redes sociales tienen formularios y recursos a disposición de los usuarios para denunciar comportamientos inadecuados de otros usuarios. Si no están visibles fácilmente, utilice la ayuda para localizarlos.

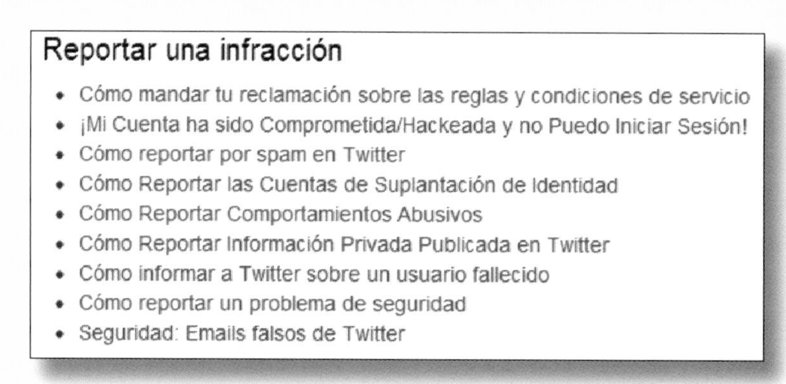

Figura 2.8. Twitter permite denunciar comportamientos inadecuados.

- Cambie su contraseña.
- Elimine al usuario de su lista de amistades o contactos y bloquéelo.

Figura 2.9. Bloquee a un usuario molesto.

- Borre todos los mensajes que usted no haya enviado.

Cambiar la contraseña

La contraseña es la principal clave de acceso a su cuenta. Es conveniente que sea fuerte, es decir, que no se pueda averiguar con facilidad. Generalmente, se considera fuerte a una contraseña compuesta por letras y números.

Los expertos aconsejan no utilizar la misma contraseña para varios accesos y, desde luego, nunca debe ser un nombre identificable, como el de un animal de compañía. Sin embargo, si alguien consigue averiguar su contraseña y entrar en su cuenta, debe modificarla inmediatamente.

Vincular la cuenta al teléfono móvil

Twitter y otras redes sociales ofrecen la posibilidad de vincular la cuenta al teléfono móvil, de forma que solamente se puede acceder a ella mediante un código que el usuario recibe en el móvil cuando teclea la contraseña. Es similar a lo que hacen muchos bancos en línea para realizar transferencias o gestionar cuentas bancarias.

En una red social, el hecho de vincular la cuenta al teléfono supone una tardanza excesiva a la hora de conectarse, sin embargo, este método es de utilidad en casos extremos, por ejemplo, si un pirata informático consigue su contraseña y se dedica a enviar mensajes publicitarios desde su cuenta.

BAJA EN UNA RED SOCIAL

Darse de baja de una red social significa desactivar la cuenta, pero, generalmente, las redes sociales mantienen los datos del usuario durante un período de tiempo para darle la posibilidad de reactivar la cuenta. Por ello, si tiene la intención de eliminar su cuenta y darse de baja de forma definitiva, es conveniente que elimine previamente todos los datos aportados. Si no le es posible borrarlos, modifíquelos para que queden inservibles.

3

Redes sociales generalistas

Las redes sociales generalistas admiten toda clase de contenidos y permiten crear grupos especializados en temas específicos. Veamos las más populares.

FACEBOOK

Facebook es una red social creada para facilitar el encuentro de antiguos amigos, antiguos compañeros de estudios, de trabajo, del barrio, etc. Es una plataforma muy eficaz tanto para reencontrarse con personas con las que se ha perdido el contacto como para comunicarse con amigos y familiares que se encuentran alejados geográficamente. Está diseñada para hacer nuevas amistades, para recuperar amistades antiguas o para compartir información personal, profesional, política, etc.

Figura 3.1. Invitar a un evento es una forma de darse a conocer en Facebook.

Cuenta con casi 1350 millones de usuarios activos en todo el mundo, es decir, no solamente usuarios registrados, sino usuarios que escriben, que insertan fotografías y vídeos, que publican textos y que establecen contacto con otros.

Facebook es útil únicamente si se dispone de amigos, es decir, si se conoce a usuarios de la misma red social, porque su objeto es compartir conversación, experiencias, conocimientos, fotografías, ideas, etc., con otras personas. Pero también ofrece la posibilidad de invitar a personas conocidas a adherirse a esta red, o bien solicitar la amistad de personas desconocidas con las que exista algún tipo de similitud, por ejemplo, profesional.

En Facebook es también posible crear grupos en los que reunir a personas conocidas y a los que invitar a personas desconocidas; por ejemplo, se puede crear una revista de barrio, cultural o profesional, e invitar a otras personas a añadir contenidos. También se pueden crear eventos e invitar a otros a participar, por ejemplo, una reunión de antiguos alumnos o de antiguos compañeros de trabajo, una plataforma social para un fin determinado, un concierto solidario, etc.

Registro en Facebook

Darse de alta en Facebook consiste en rellenar unos cuantos datos personales y configurar la cuenta. Darse de baja consiste en desactivar la cuenta y eliminar los datos.

PRÁCTICA:

Regístrese en Facebook.

1. Vaya a `www.facebook.com`. Normalmente, aparecerá la versión de Facebook en español. De lo contrario, la dirección en castellano es `es-la.facebook.com`

Figura 3.2. La carátula de registro de Facebook.

2. Rellene el formulario y haga clic en **Terminado**. En la página nueva que se abre, el programa le ofrecerá guardar su contraseña para futuras conexiones. Eso le evitará escribir sus datos cada vez que acceda a Facebook.
3. Ahora puede colocar una imagen para su perfil. No es necesario que sea una fotografía suya, ni siquiera una fotografía. Puede colocar la imagen que desee, por ejemplo, un paisaje. Si lo desea, puede poner una fotografía realizada con su webcam, haciendo clic en Hacer una foto. Haga clic en Añadir una foto para localizar una imagen en su equipo. Cuando la imagen aparezca en el formulario, haga clic en **Siguiente**.

4. Facebook le invitará a completar sus datos de registro y su perfil. Si ha facilitado su cuenta de correo electrónico, por ejemplo, Gmail, el programa solicitará su permiso para que Facebook pueda acceder a su lista de contactos.
5. Recibirá un mensaje por correo electrónico dándole la bienvenida y solicitando su confirmación para crear la cuenta en Facebook.
6. Haga clic en **Confirma tu cuenta** para completar su registro.

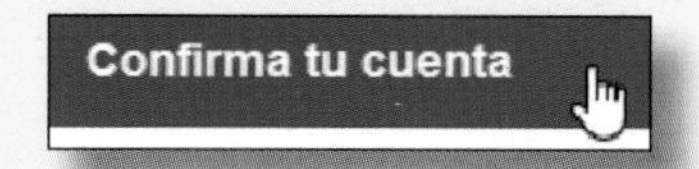

Complete su perfil en Facebook

Para acceder a Facebook, escriba su dirección de correo y su contraseña y haga clic en **Entrar**. Una vez en su página de Facebook, puede completar su perfil y subir una fotografía.

PRÁCTICA:

Complete sus datos.

1. Haga clic en Completar tu perfil y rellene los formularios Información personal, Información de contacto y/o Formación y empleo. No son obligatorios, por lo que puede rellenar únicamente los campos que quiera. Si la opción Completar tu perfil no está visible, haga clic en Editar perfil, en la parte superior izquierda de la página, bajo su imagen.
2. Si desea cambiar la fotografía que incluyó al darse de alta, haga clic sobre ella y seleccione otra. Puede tener varias fotografías y seleccionar la que desee para su

perfil en cada ocasión en que quiera cambiarla, haciendo clic en Opciones>Seleccionar como foto del perfil.

3. Si tiene varias fotografías de perfil, haga clic en el botón > para verlas de una en una.

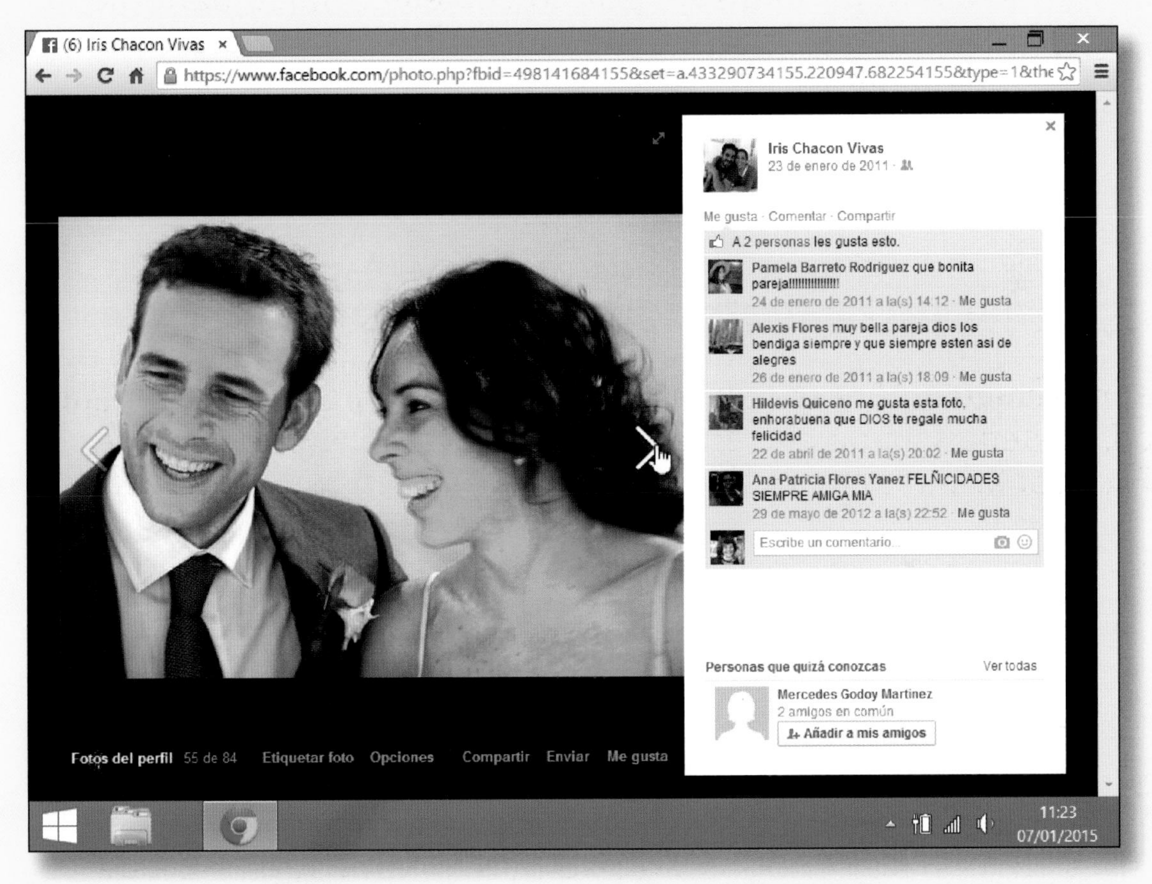

Figura 3.3. Este perfil tiene 84 fotografías.

Coloque una portada

Además de la fotografía, puede elegir una portada con una imagen o fotografía que se situará detrás de la foto de perfil. Haga clic en el botón **Añadir una portada**. El botón **Añadir una portada** le ofrecerá dos opciones:

a) Elegir una foto. Para seleccionar una de las fotografías que ya haya subido a Facebook, haga clic en esta opción. Después, haga clic en Ver los álbumes para acceder a sus fotografías y elegir una de ellas.

b) Subir una foto. Si prefiere subir una fotografía o imagen de su ordenador, haga clic en esta opción para acceder al mismo cuadro de diálogo Abrir que ha utilizado anteriormente para subir la foto del perfil.

1. Para subirla, localice la fotografía o imagen en su equipo y, cuando aparezca en la casilla Nombre del cuadro de diálogo Abrir, haga clic en el botón **Abrir**.
2. Cuando la fotografía aparezca en el espacio de su portada, Facebook le invitará a arrastrarla para colocarla de forma adecuada. Para ello, haga clic en la flecha de cuatro puntas y arrastre el ratón a la posición que desee.

Figura 3.4. La portada queda detrás de la foto del perfil.

Modifique sus datos

Todos los datos que inserte en Facebook podrán ser modificados cuando lo desee. Observe que, junto a ellos, aparece la opción Editar. Haga clic en ella para modificar la información.

Nota: No olvide hacer clic en el botón **Guardar cambios** cuando aplique alguna modificación, para que Facebook la tenga en cuenta. Guardar cambios

Su biografía en Facebook

La página de su biografía en Facebook ofrece las siguientes opciones:

- Muro. Es el cuadro de texto situado bajo la portada que contiene la pregunta representativa de Facebook: ¿Qué estás pensando? Es la invitación del programa a escribir una idea, una opinión o una experiencia a compartir con sus amigos. Los demás usuarios también podrán escribir en el muro de usted, porque, para ellos, su muro muestra la invitación: *Escribe algo*. Cuando alguien escriba en su muro, Facebook le enviará un mensaje por correo electrónico para avisarle. Observe que el cuadro de texto tiene las herramientas necesarias para escribir textos, formatear, añadir imágenes, emoticonos, publicar, etc.
- Información. Contiene los datos que usted haya facilitado al darse de alta o que haya modificado después. Aquí puede ver su información básica, personal, de contacto, relativa a su trabajo, profesión o empleo, así como los grupos a los que pueda pertenecer. Estos datos son útiles para que otros usuarios puedan reconocerle o ponerse en contacto con usted por alguna afinidad. Facebook tratará también de comunicarle con usuarios de características similares, a menos que usted lo impida como veremos a continuación.
- Fotos. Contiene las fotografías o álbumes que usted inserte en Facebook o que alguno de sus contactos inserte y en las que usted aparezca.

- Amigos. Contiene la lista de personas con las que comparte información y contenidos.
- Más. Despliega un menú para actualizar información sobre deportes, música, etc.

Figura 3.5. El cuadro de texto con todas las herramientas.

La parte superior de la ventana de Facebook ofrece varios iconos:

- **Perfil**. Muestra su fotografía y su nombre y va a la página principal de su perfil.

- **Inicio**. Va a la página donde podrá ver las actividades de sus amigos de Facebook.

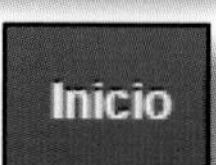

- **Buscar amigos**. Despliega una lista de personas a las que quizá conozca y con las que puede ponerse en contacto solicitando su amistad.
- **Nuevos amigos**. Presenta la lista de los usuarios que han aceptado su solicitud de amistad. También ofrece una lista de usuarios a los que quizá le gustaría conocer.
- **Mensajes**. Contiene una bandeja de entrada y salida, con mensajes enviados y recibidos. Ofrece botones como **Eliminar** o **Denunciar correo no deseado**.
- **Notificaciones**. Contiene la lista de notificaciones acerca de la actividad de otros usuarios, como comentarios, eventos, etc.

- **Accesos directos de privacidad**. Despliega el menú para configurar su privacidad.

- **Menú**. Despliega un menú con distintas opciones, entre ellas, Configuración y Salir. La opción Crear página es útil para crear en una página personal o profesional dentro de Facebook.

Figura 3.6. El menú de opciones.

Nota: Si necesita ayuda o asesoramiento, el menú de la figura 3.6 contiene la opción Ayuda, donde encontrará las respuestas y ayuda que necesite.

Truco: Si le desagrada algún tipo de anuncio de los que Facebook, generalmente, suele insertar en su biografía, haga clic en Configuración en el menú anterior y seleccione Anuncios en la columna de opciones de la izquierda, para ver todo lo que puede hacer para controlarlos.

Controle la privacidad de sus datos en Facebook

Facebook llama "amigos" a los usuarios a los que usted ha otorgado su amistad o cuya amistad ha solicitado y han aceptado. Ser amigos en Facebook supone compartir experiencias y contenidos y poder comunicarse a través del programa, incluso aunque solo se conozcan virtualmente y no personalmente.

Cada vez que inserte un dato personal o profesional o un contenido (vídeo, fotografía, texto) en su biografía de Facebook, podrá establecer el grado de privacidad que desee. Haga clic en la pequeña flecha abajo que aparece junto al icono de cada contenido, para desplegar el menú y seleccione el nivel de privacidad.

Figura 3.7. Controle la privacidad de cada dato o contenido.

- Público. Cualquier usuario de Facebook puede ver ese contenido y comentarlo.
- Amigos. Solamente podrán acceder a ese contenido las personas a quienes usted haya aceptado como amigos o cuya amistad haya solicitado y la hayan confirmado.
- Solo yo. Significa que nadie excepto usted puede acceder a ese contenido.

- Personalizado. Permite personalizar la configuración de la privacidad, seleccionando listas de amigos a quienes se permite acceder a este dato o contenido.

PRÁCTICA:

Controle su privacidad en Facebook.

1. Para controlar la privacidad de sus datos, haga clic en el icono **Accesos directos de privacidad**, que muestra un pequeño candado.
2. Se desplegará un menú con las opciones siguientes:
   - ¿Quién puede ver mis cosas?
   - ¿Quién puede ponerse en contacto conmigo?
   - ¿Cómo evito que alguien me moleste?
3. Haga clic en la flecha abajo de cada una de estas opciones para desplegarla.
4. Observe lo que señala el indicador de privacidad y seleccione la opción que desee, Público, Amigos, etc.

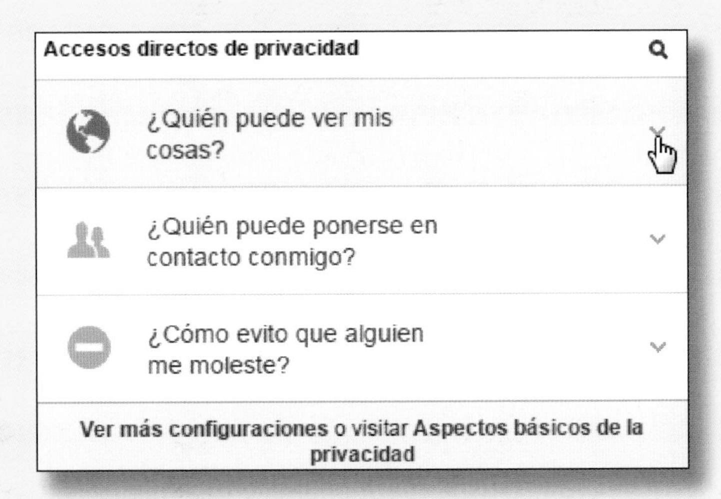

Figura 3.8. Controle su privacidad en Facebook.

Las amistades de Facebook

PRÁCTICA:

Busque amigos en Facebook.

1. Haga clic en Buscar amigos. El programa le presentará una página con distintas opciones para localizar amigos o hacer amigos nuevos:
   a) Una casilla de búsquedas Buscar amigos. Haga clic en ella y escriba el nombre de alguna persona que conozca. Haga clic en la lupa o pulse la tecla **Intro**. Si la persona está registrada en Facebook, podrá localizarla en la lista que el programa le presentará con personas de nombre similar.

Figura 3.9. Escriba un nombre de persona o de usuario de Facebook y haga clic en la lupa.

   b) Una lista de personas que Facebook considera afines a usted o a las que supone que puede conocer por tener amistades comunes o haber compartido estudios o trabajo. Si hace clic en la fotografía o en el nombre de una de estas personas, podrá acceder a su perfil y leer la información pública. Si tienen amigos en común, aparecerán en ese lugar. Para establecer contacto, haga clic en Añadir a mis amigos. Si lo desea, envíele un mensaje directo haciendo clic en la opción Mensaje, situada en la portada.

Mensaje •••

c) El cuadro Añadir contactos personales le permitirá agregar a Facebook las direcciones de sus contactos de correo electrónico. El programa le pedirá su contraseña de correo electrónico para acceder a la lista de contactos de Gmail, Outlook o el programa que utilice.

d) El cuadro Buscar amigos le ofrece casillas y opciones para localizar antiguos amigos de estudios, de trabajo, de su localidad o amigos de amigos.

2. Cuando haga clic en Añadir a mis amigos, Facebook enviará una solicitud de amistad al usuario. Si acepta, usted recibirá una notificación por correo electrónico. A partir de ese momento, el usuario ya no mostrará la opción Añadir a mis amigos, sino Amigos y podrán compartir experiencias y contenidos. Encontrará la notificación haciendo clic en el icono **Nuevos amigos**.

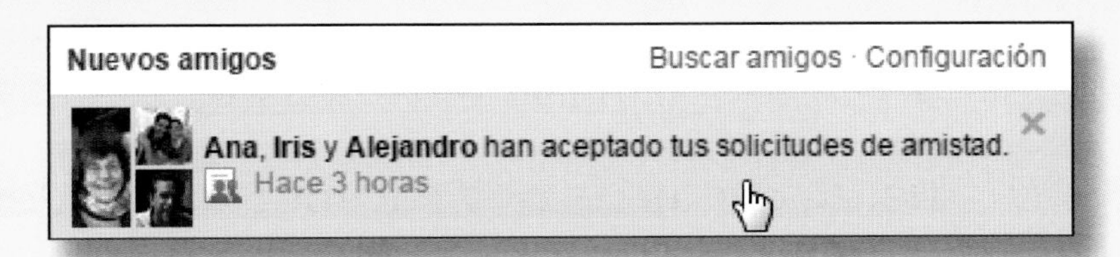

Figura 3.10. Han aceptado su solicitud.

Truco: Si envía una solicitud de amistad equivocada, puede anularla en los momentos siguientes, antes de que el usuario responda. Haga clic con el botón derecho del ratón en Solicitud de amistad enviada, junto al nombre del usuario, y seleccione Cancelar la solicitud en el menú que se despliega.

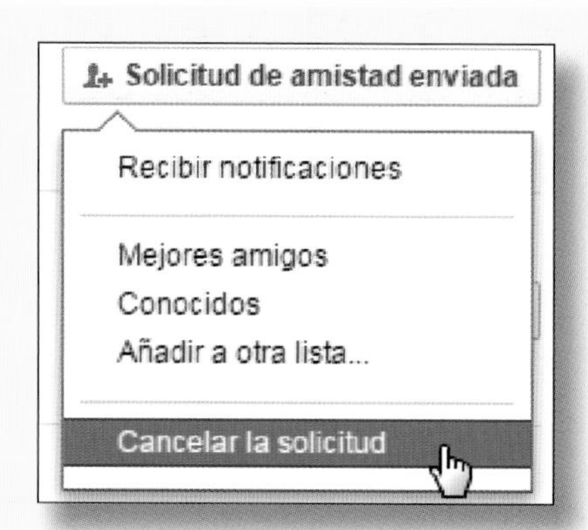

Figura 3.11. Cancele la solicitud errónea.

Acepte o rechace amigos en Facebook

Cuando Facebook le presente solicitudes de amistad de otros usuarios, podrá admitir o no a esas personas en sus listas de amigos.

- Haga clic en Confirmar para aceptar la solicitud.
- Haga clic en Eliminar la solicitud para rechazarla.
- Haga clic en la imagen de la persona que solicita su amistad para acceder a su perfil y ver la información. En la portada de ese usuario encontrará también las opciones para aceptar o rechazar su solicitud de amistad.

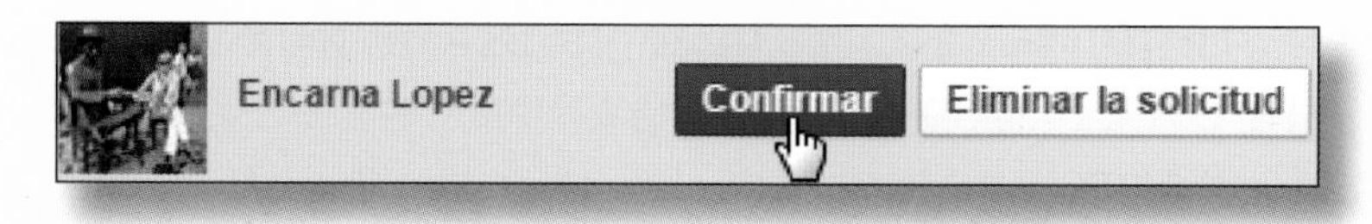

Figura 3.12. Acepte o rechace solicitudes de amistad.

Comuníquese con sus amigos

Cada vez que alguien acepte su solicitud de amistad, Facebook le enviará una notificación por correo electrónico, que también encontrará haciendo clic en el icono **Nuevos amigos**. Haga clic en la notificación para ver el perfil del usuario. Junto a la miniatura de su imagen, Facebook le invitará a que escriba en su biografía. Haga clic en la invitación para acceder al muro de su nuevo amigo y escribir en él.

PRÁCTICA:

Comuníquese con un amigo en Facebook.

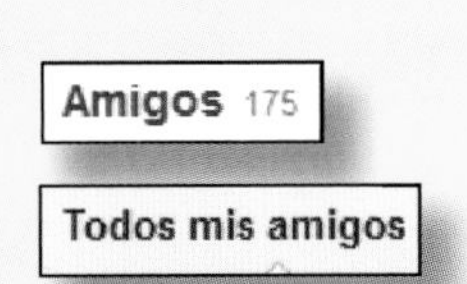

1. Haga clic en el icono de su perfil y despues en Amigos>Todos mis amigos.
2. Haga clic en el nombre para acceder a su perfil. Ahí podrá ver su información (la que quiera hacer visible), sus amigos, sus intereses, sus comentarios, etc.
3. Escriba algo en su muro y haga clic en **Publicar**.
4. Para adjuntar una foto o una imagen, haga clic en el icono de la barra de herramientas que muestra una pequeña cámara. También puede insertar un emoticono haciendo clic en el icono que muestra una cara.
5. Para enviarle un mensaje, haga clic en Mensaje, en la portada de su amigo. También puede hacer clic en los tres puntos y seleccionar Darle un toque.
6. Si su amigo tiene contenidos publicados, puede dejarle un comentario haciendo clic en Comentar o, simplemente, hacer clic en Me gusta. Su amigo recibirá la notificación correspondiente. Si desea compartir esa publicación con otras personas, haga clic en Compartir para publicarla en su propia biografía.
7. Para chatear, haga clic en el botón **Chat**, en la parte inferior derecha de la ventana, haga clic sobre el nombre del usuario con el que quiera conversar

y, cuando se abra la ventana del chat, escriba un texto y pulse **Intro**. También puede enviarle una fotografía haciendo clic en el icono de la cámara. Espere la respuesta completa de su amigo antes de volver a escribir.

8. Para cerrar la ventana del chat, haga clic en cualquier espacio en blanco fuera del chat.

Aviso: Recuerde que, si su amigo no está conectado en ese momento, no será posible chatear, lo que podrá comprobar en la misma lista de usuarios del chat, que indica los que están conectados a la Web o a través del teléfono móvil.

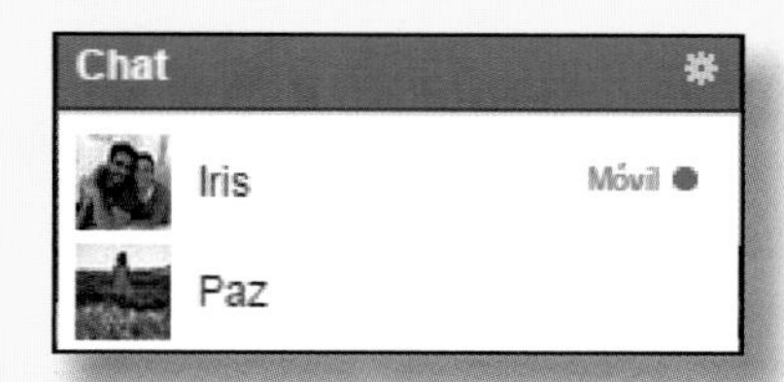

Figura 3.13. Iris está conectada al móvil y Paz está desconectada.

Me gusta, Ya no me gusta

Hacer clic en el icono de Facebook **Me gusta**, dentro o fuera del programa, equivale a convertirse en seguidor del usuario que ha publicado el contenido. Para usted, no tiene más trascendencia que expresar su conformidad o su simpatía, pero, para el propietario de ese contenido, significa un valor añadido. Por eso, muchas veces le invitarán a hacer clic en **Me gusta** para resaltar algún evento, publicación, manifestación artística, etc.

Si la publicación deja de complacerle por cualquier motivo, siempre podrá hacer clic en Ya no me gusta.

Categorías de amistad

También puede clasificar a sus amigos y concederles distintos permisos de acceso a sus publicaciones.

PRÁCTICA:

Clasifique a sus amigos.

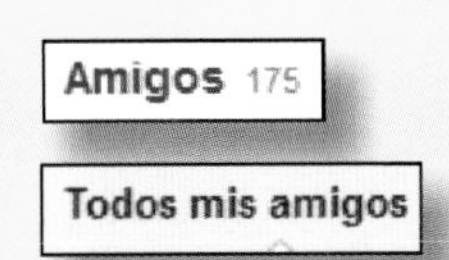

1. Haga clic en el icono de su perfil y despues en Amigos>Todos mis amigos.
2. Haga clic en el botón **Amigos**. Amigos
3. Seleccione el grado de amistad en el menú, por ejemplo, Mejores amigos o Conocidos. Si no desea mantener esa amistad, haga clic en Eliminar de mis amigos.
4. Facebook agrega a cada usuario a una lista automática, en caso de que coincida con usted en el lugar de nacimiento, de residencia, de trabajo o de estudios. Pero además usted puede agregar a un usuario a una lista propia, por ejemplo, Familia. Haga clic en Añadir a otra lista en el menú del usuario y seleccione Familia.

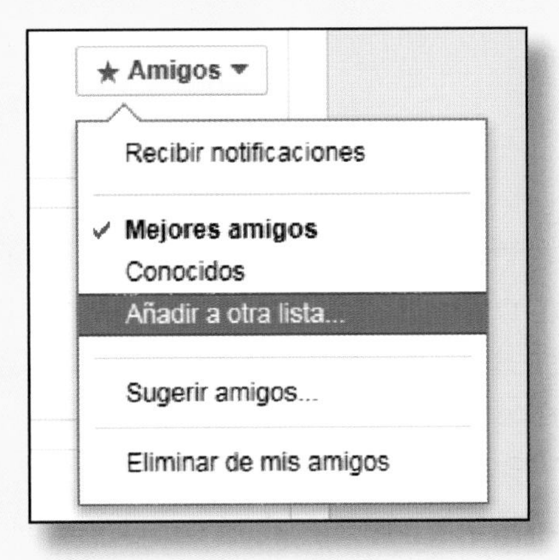

Figura 3.14. El menú de sus amigos.

5. Si desea crear una nueva lista con sus amigos, haga clic en Añadir a otra lista en el menú del usuario, seleccione +Nueva lista y escriba el nombre de la lista, por ejemplo, *Academia*, *Piscina* o *Viajes*. La nueva lista aparecerá en el menú de todos sus amigos para poder agregarlos a ella. Esto le servirá para conceder acceso a sus datos y contenidos a los amigos de diferentes listas o categorías. Facebook nunca notifica a los usuarios el tipo de lista en el que se les ha incluido.

Los grupos de Facebook

Para encontrar gente afín, también puede darse de alta en un grupo o red. Al registrarse, su perfil quedará visible para los usuarios de ese grupo o red, a menos que lo configure de otra manera.

PRÁCTICA:

Únase a un grupo.

1. Haga clic en el icono **Inicio**.
2. Haga clic en Buscar nuevos grupos, en la zona inferior izquierda de la página.
3. Elija un grupo y haga clic en + Unirse al grupo.

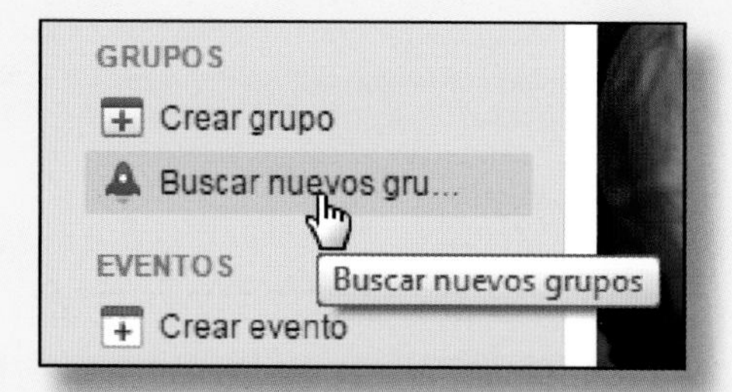

Figura 3.15. Busque grupos en Facebook.

Comparta contenidos en Facebook

Cuando suba contenidos a su página de Facebook, podrá elegir el nivel de privacidad de cada fotografía o vídeo, haciendo clic en Público y seleccionando la categoría de amistad que haya otorgado a sus amigos. Cada contenido, fotografía, imagen, vídeo o texto, tiene su correspondiente icono **Editar** que tiene forma de lápiz. Este icono despliega un menú para editarlo o eliminarlo.

Cada contenido publicado tiene también las opciones Me gusta y Comentar. Si alguna de las personas que tienen acceso a sus publicaciones escribe un comentario sobre alguna de ellas, Facebook le enviará un mensaje de correo electrónico indicándoselo, con un enlace directo al comentario.

Figura 3.16. Las opciones de la fotografía.

PRÁCTICA:

Cree un álbum de fotos.

1. Haga clic en el icono de su nombre en la parte superior de la ventana.
2. Haga clic en la opción Fotos de su perfil.

3. Ahora puede elegir entre estas opciones:
   - Crear un álbum. Podrá crear un álbum después de subir varias fotos.
   - Agregar fotos. Localice la fotografía en su equipo con el cuadro de diálogo Abrir. Selecciónelas y haga clic en **Abrir**. Haga clic en Publicar.
   - Añadir vídeo. Seleccione el vídeo en su equipo, escriba el título y haga clic en Publicar.

PRÁCTICA:

Suba una fotografía o un vídeo a su biografía.

1. Haga clic en el icono de su nombre en la parte superior de la ventana.
2. Haga clic en la ventana Estado de su muro que contiene la pregunta ¿Qué estás pensando?
3. Ahora puede escribir un texto, añadir fotografías, vídeos, emoticonos, seleccionar un acontecimiento importante, etc.
4. Haga clic en Publicar.

Aviso: Facebook no acepta vídeos de más de 20 minutos de duración. Aunque llegue a subirlo, no podrá publicarlo. Facebook le enviará un mensaje por correo indicándole que la inserción de su vídeo fue fallida y señalando el motivo. También es imprescindible que el vídeo tenga un formato compatible para poder publicarlo. El formato más adecuado es Mp4, aunque puede ser Avi, DivX, Mpeg, Flv, etc. También se puede poner en Facebook un acceso directo a un vídeo más largo publicado en otra plataforma, por ejemplo, Dropbox o YouTube.

Comparta contenidos externos en Facebook

Muchos de los contenidos que se publican en Internet, como vídeos, noticias, etc., se pueden compartir en Facebook, Twitter, Google+ u otras redes sociales, simplemente haciendo clic en el icono correspondiente.

Figura 3.17. Iconos para compartir una información en las redes sociales.

Libros: Si desea profundizar en el uso de Facebook para, por ejemplo, crear páginas, grupos, revistas o eventos, hacer videollamadas o enlazar Facebook con YouTube o Dropbox, encontrará toda la información necesaria en el libro *Facebook para mayores*, de la colección *Títulos Especiales* de Anaya Multimedia.

Entrar y salir de Facebook

- Para entrar en Facebook, escriba la dirección www.facebook.com o, si no aparece en castellano, es-la.facebook.com. Si ha activado la opción para recordar su contraseña, accederá directamente a su biografía. Si accede con un equipo o navegador diferente, tendrá que iniciar sesión escribiendo su nombre de usuario y su contraseña.
- Para salir de Facebook, haga clic en el icono del menú, en el extremo derecho de la barra de herramientas y seleccione Salir.

Truco: Si accede a Facebook con frecuencia, lo más práctico es agregar su página a Favoritos o a Marcadores, según el navegador que utilice.

Darse de baja en Facebook

PRÁCTICA:

Desactive su cuenta en Facebook.

1. Haga clic en el icono del menú, en el extremo derecho de la barra de herramientas.
2. Seleccione Configuración.
3. En la lista de opciones de la izquierda, haga clic en Seguridad. Se halla en segundo lugar.
4. Descienda hasta el final de la página de configuración y haga clic en Desactiva tu cuenta.

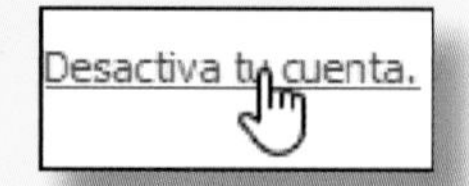

5. Facebook le presentará una ventana solicitando sus motivos para desactivar su cuenta.
6. Si no quiere recibir mensajes o notificaciones de sus amigos a través de Facebook, haga clic en la casilla En adelante no quiero recibir mensajes de correo electrónico de Facebook.
7. Haga clic en **Confirmar**.

Truco: Si quiere volver a utilizar su cuenta, inicie sesión con su nombre de usuario y contraseña para reactivarla. Si no piensa volver a Facebook, elimine toda la información introducida antes de darse de baja. Borre sus datos y sus fotografías como vemos a continuación.

PRÁCTICA:

Elimine los datos de su perfil de Facebook.

1. Vaya a su biografía de Facebook haciendo clic en su nombre, en la parte superior derecha de la página.
2. Haga clic en Información, bajo la portada de su perfil.
3. Haga clic en Opciones de cada bloque de información que haya insertado.
4. Haga clic en Eliminar.
5. Escriba la contraseña cuando el programa se lo pida para guardar los cambios y haga clic en Guardar cambios.
6. Para borrar su fotografía del perfil, haga clic en el icono de su nombre.

7. Haga clic en la imagen de su perfil para verla en la ventana central.
8. Haga clic en Opciones, bajo la fotografía, y seleccione Eliminar esta foto.
9. Para borrar otras fotografías o vídeos que haya insertado, haga clic en el icono de la esquina superior derecha y seleccione Eliminar.
10. Haga clic en **Finalizar**.
11. Desactive su cuenta como vimos anteriormente.

TWITTER

Twitter es una red social generalista cuyo principal objeto es enviar mensajes con inmediatez y con la mayor difusión posible. El mensaje, llamado *tweet* o *tuit* para evocar el piar de un pájaro, no puede tener más de 144 caracteres.

Características y utilidad de Twitter

Twitter es de gran utilidad para personas que necesiten participar una noticia o una opinión a un gran número de personas y en el menor plazo de tiempo posible. Por eso, es una herramienta muy eficaz para quienes realizan una actividad pública, como los periodistas, los políticos o los artistas.

También es útil para quien necesita, en un momento dado, propagar una noticia o dar a conocer un acontecimiento, por ejemplo, la convocatoria para una reunión, una invitación a un acto o participar una situación social.

El mensaje publicado en Twitter llega inmediatamente a todos los usuarios que estén en contacto con la persona que lo ha publicado y ellos, a su vez, con un solo toque o clic, pueden difundirlo inmediatamente a sus propios contactos, de forma que el mensaje se multiplica y divulga de inmediato.

Hay que decir que la divulgación del mensaje se produce únicamente si el usuario tiene lo que en las redes sociales se llama "seguidores", es decir, contactos, personas que reciben una notificación cada vez que aquel a quien siguen publica cualquier mensaje. Por ello, quien realiza una actividad pública necesita tener numerosos seguidores que difundan rápida y ampliamente sus publicaciones.

Esto es, a su vez, un arma de doble filo, porque una vez se ha publicado un mensaje, ya no es posible volver atrás, dado que los seguidores lo habrán difundido a gran escala. Es comparable a esa frase desacertada que una persona pública expresa sin saber que el micrófono está abierto.

Figura 3.18. El Ateneo de Madrid en Twitter.

¿Twitter o Facebook?

La diferencia entre ambas redes sociales está definida por la pregunta que inicia la actividad en cada una. En Facebook, hemos visto que la pregunta "¿Qué estás pensando?" encabeza el muro del usuario, invitando a una explicación detallada y amplia. En Twitter, la pregunta es "¿Qué está pasando?", lo que sugiere un mensaje actual, conciso y rápido.

Publicar o seguir

Twitter puede tener utilidad activa o pasiva. Si usted tiene contenidos, noticias o información a publicar y difundir, por ejemplo, si publica obras literarias, expone obras artísticas, realiza representaciones teatrales o musicales o forma parte de una plataforma social, Twitter es una excelente herramienta activa pues le permite emitir y difundir tuits para dar a conocer su actividad.

Si usted es seguidor de un partido político, de un equipo deportivo, de un artista, de un escritor, de un científico o de una institución, Twitter es una excelente herramienta pasiva pues le permite convertirse en seguidor de esa persona o institución para recibir información actualizada de las actividades que realice.

Regístrese en Twitter

PRÁCTICA:

Regístrese en Twitter.

1. Vaya a la dirección `twitter.com`
2. Rellene el formulario y escriba su dirección de correo electrónico y su contraseña.
3. Haga clic en Regístrate en Twitter para crear su cuenta.

4. En el formulario siguiente, escriba un nombre de usuario y haga clic en Regístrate. Twitter agregará la arroba al inicio del nombre que haya escrito. Los nombres de usuario en Twitter comienzan por la arroba.
5. Twitter le preguntará sobre sus intereses para poderle presentar usuarios a los que seguir. No es imprescindible que seleccione ahora sus gustos. Haga clic en **Continuar**. También le recomendará nombres concretos de usuarios a los que seguir. Elimine los que no le interesen haciendo clic en el botón con forma de aspa.
6. Haga clic en Tomar foto para activar su cámara Web y hacerse una fotografía o, bien, haga clic en Subir foto para elegirla en su equipo. Haga clic en **Aplicar** para poner la foto o la imagen que desee en su perfil. Haga clic en **Continuar**.
7. Haga clic en Sube tus contactos para importar la lista de contactos de su cuenta de correo electrónico.

Figura 3.19. El perfil en Twitter.

Complete o modifique su perfil

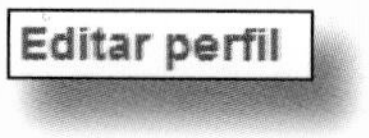

Recuerde que siempre podrá modificar los datos de su perfil haciendo clic en la opción Editar perfil, que encontrará bajo la portada de su perfil.

Podrá agregar una imagen de portada haciendo clic en Añade una foto de encabezado, que quedará detrás de la foto del perfil. Haga clic en Guardar cambios cada vez que aplique una modificación.

La privacidad en Twitter

Twitter es una red social abierta donde la intimidad no tiene objeto. Sin embargo, existe una política de privacidad sobre sus datos personales que puede encontrar haciendo clic en el icono **Perfil y configuración**, que muestra su fotografía, y después haciendo clic en Privacidad, en el recuadro informativo que encontrará al final de la página, en la zona izquierda.

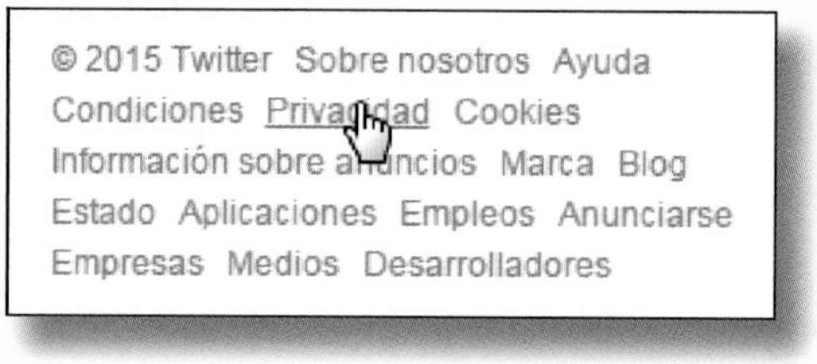

Figura 3.20. Lea la política de privacidad de Twitter.

Twitter suspende una cuenta automáticamente cuando detecta en ella patrones de comportamiento inadecuado, como, por ejemplo, el envío de mensajes publicitarios o no deseados a otros usuarios. Además, Twitter utiliza un protocolo de seguridad similar al de los bancos, que se reconoce porque empieza por `https` en lugar de `http`.

El Centro de ayuda de Twitter le ofrece también todo tipo de asesoramiento a la hora de denunciar comportamientos, solucionar problemas o proteger su información personal. Lo encontrará en la dirección `support.twitter.com`. Si la página está en inglés, haga clic en English y seleccione Español.

Twitter ofrece también la posibilidad de denunciar comportamientos inadecuados o de bloquear a usuarios molestos. Para bloquear a un usuario molesto o denunciar una conducta impropia, haga clic en el icono **Más acciones del usuario**, ⚙ que tiene forma de rueda dentada y se encuentra junto al botón **Seguir** en el perfil de ese usuario. Cuando se despliegue el menú, seleccione Bloquear o reportar.

PRÁCTICA:

Configure la privacidad de su cuenta.

1. Haga clic en el icono **Perfil y configuración**, que muestra la miniatura de su fotografía y seleccione Configuración en el menú que se despliega.
2. En la lista de opciones de la izquierda, haga clic en Seguridad y privacidad.
3. Revise las opciones de privacidad.
4. Haga clic en Cuenta y en Contraseña para revisar las opciones. Haga clic en Móvil si desea asociar su teléfono móvil a Twitter.
5. Haga clic en Notificaciones por correo para configurar las notificaciones que Twitter le envía.
6. Al finalizar, recuerde hacer clic en Guardar cambios, al final de la página.

Tuits públicos y protegidos

Al configurar la privacidad de su cuenta podrá elegir que sus tuits sean públicos, es decir, que pueda verlos cualquiera, o protegidos, es decir, que solamente puedan verlos las personas que usted acepte como seguidores.

Si hace clic en la opción Proteger mis twets, que muestra la figura 3.21, los usuarios que deseen seguirle tendrán que solicitar su permiso y, una vez aceptados como seguidores, podrán ver sus tuits. Para los demás usuarios, aparecerán cifrados e ilegibles.

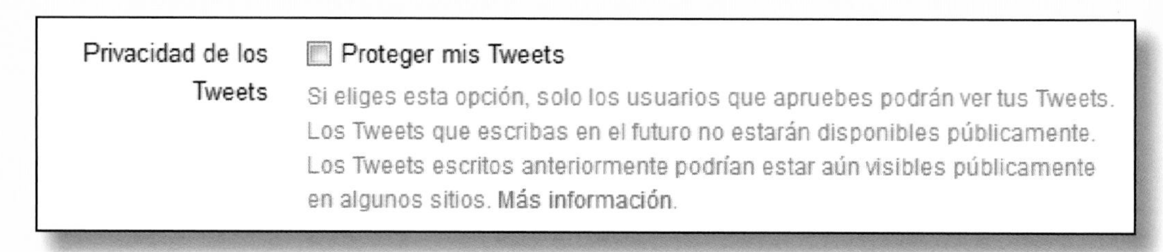

Figura 3.21. Twitter permite proteger los tuits.

El menú de Twitter

La barra de menú de Twitter ofrece las opciones siguientes:

- Inicio. Va a la página principal de su perfil que contiene los tuits publicados por los usuarios a quienes usted sigue.

- Notificaciones. Muestra las notificaciones de actividades de las personas a las que sigue.

- Mensajes. Muestra los mensajes directos que otros usuarios le hayan enviado.

- #Descubre. Muestra noticias y actividades actualizadas a cada instante.

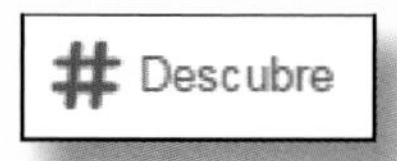

- Buscar en Twitter. Permite localizar a otros usuarios de la red social.

- Perfil y configuración. Muestra su imagen. Despliega un menú con opciones para obtener ayuda, configurar la cuenta o cerrar la sesión. También contiene los tuits publicados por usted en la opción Ver perfil.
- Twittear. Abre un cuadro de texto para escribir y publicar un tuit.

Truco: Si necesita ayuda, el menú que se despliega al hacer clic en Perfil y configuración contiene la opción Ayuda.

La cronología

Twitter llama cronología a la página que recoge la actividad de un usuario, es decir, la lista de tuits que aparecen bajo el perfil de un usuario, ordenados por orden cronológico. Se compone de los tuits emitidos por el usuario más los emitidos por las personas a las que sigue. La cronología se modifica constantemente para albergar los tuits de los usuarios a los que usted sigue.

La lista de tuits del perfil es diferente a la que se muestra en la cronología. El perfil se modifica cuando usted publica un nuevo tuit o sube una imagen.

- Para acceder a su perfil, haga clic en el icono **Perfil y configuración**. Bajo su perfil y su fotografía, encontrará exclusivamente los tuits que usted haya publicado o retuiteado.
- Para acceder a su cronología haga clic en el icono **Inicio**. En su cronología encontrará los tuits de los usuarios a los que usted siga.

Tuitear y retuitear

Tuitear es publicar un texto de menos de 144 caracteres, es decir, un tuit. Retuitear es copiar ese tuit y republicarlo. Este es el objeto de Twitter.

La barra de herramientas de un tuit, que puede ver en las figuras 3.22 y 3.23, contiene las opciones siguientes:

- Responder. Haga clic para responder a un tuit.
- Retwittear. Esta opción aparece cuando el usuario no es el propietario de la cuenta. Haga clic en ella para volver a publicar el mensaje de un usuario. Si no puede retuitear el tuit de otro usuario, puede que esté protegido. En tal caso, aparecerá un icono con un pequeño candado junto al nombre de usuario. Después de retuitear un tuit, esta opción pasa a llamarse Deshacer Retweet.
- Favorito. Haga clic para convertir en favorito a un tuit que le interese conservar a mano. A partir de ese momento, lo encontrará haciendo clic en la opción Favoritos de la barra de herramientas de su perfil (*Véase* la figura 3.19). Si desea eliminar el tuit de su lista de favoritos, haga clic de nuevo en la opción Favorito, que pasará a llamarse Desmarcar favorito.
- Más. Muestra un menú con opciones para fijar el tuit, eliminarlo, etc.

PRÁCTICA:

Publique un tuit.

1. Haga clic en Twittear.
2. Escriba el mensaje en el cuadro de texto Publicar un nuevo tweet. Al llegar a 140 caracteres, no podrá seguir escribiendo. El contador mostrará una cifra negativa y se desactivará el botón **Twittear**.
3. Si desea agregar una imagen, haga clic en el botón con el icono de la cámara fotográfica, localícela con el cuadro de diálogo Abrir y haga clic en **Abrir**. Es preferible que suba la imagen antes de escribir el texto, porque restará caracteres.
4. Haga clic en **Twittear**. Cuando Twitter termine de subir el tuit con su imagen, podrá verlo en su cronología. También aparecerá en las cronologías de sus seguidores.

Truco: Si un tuit contiene una fotografía o imagen muy grande, es posible que aparezca resumido. Haga clic en Abrir o Ver resumen para verlo completo. Para cerrarlo, haga clic en Reducir o en Ocultar resumen.

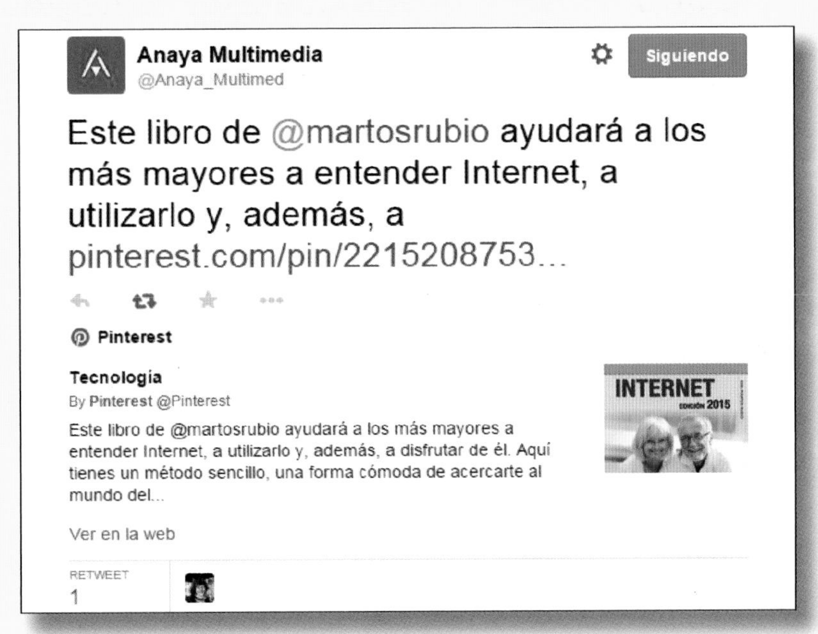

Figura 3.22. Un tuit desplegado.

PRÁCTICA:

Retuitee un tuit.

1. Localice un tuit en su cronología. Ha de ser un tuit publicado por alguien a quien usted siga.
2. Haga clic en la opción Retwittear. El tuit aparecerá en su cronología y en las de sus seguidores.

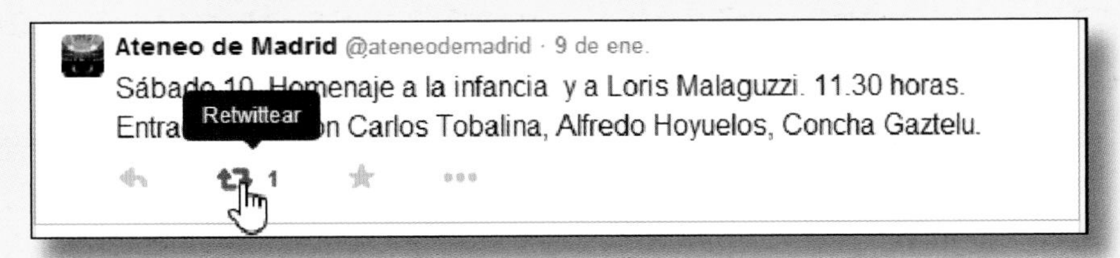

Figura 3.23. Un tuit retuiteado.

Truco: Si retuitea un tuit por error, vuelva a hacer clic en la misma opción que ahora se llamará Deshacer Retweet.

Seguir y conseguir seguidores

PRÁCTICA:

Localice y siga a un usuario.

1. Haga clic en Buscar en Twitter y escriba el nombre del usuario. Los nombres de los usuarios de Twitter empiezan por la arroba, pero también puede escribir el nombre y los apellidos de la persona o el nombre de la entidad, por ejemplo `Fundación Juan March`.
2. Haga clic en el usuario que desee, en la lista que Twitter le presentará.
3. Haga clic en Seguir para recibir en su cronología los tuits del usuario y estar al tanto de su actividad.

Truco: Si sabe que un amigo se encuentra ya en Twitter, pídale su nombre de usuario y podrá localizarlo fácilmente escribiéndolo en la casilla de búsquedas y haciendo clic en la lupa. También puede localizar contactos de otras redes sociales o cuentas de correo haciendo clic en el icono **#Descubre** y después en Encontrar amigos.

Los hashtags

Los hashtags o, en castellano, etiquetas, son expresiones precedidas de una almohadilla (#) que se utilizan para clasificar los tuits por temas específicos. Por ejemplo, `#Investigación` etiqueta los mensajes que tratan de investigación. Las etiquetas resultan muy útiles a la hora de localizar tuits que traten sobre un tema concreto.

Si utiliza una etiqueta en uno de sus tuits, es recomendable que la inserte al principio del mensaje para facilitar la búsqueda.

PRÁCTICA:

Cree una etiqueta.

1. Haga clic en Twittear.
2. Escriba la almohadilla y, a continuación, el tema que quiera etiquetar, por ejemplo, su nombre y apellidos, una obra literaria, su localidad de nacimiento, etc.
3. Escriba el texto y haga clic en **Twittear**.

PRÁCTICA:

Localice un tema específico.

1. Haga clic en la casilla Buscar en Twitter.
2. Escriba la almohadilla y, a continuación, el asunto que le interese, por ejemplo `#viajesaMarte`.
3. Haga clic en el tema que desee, de la lista que Twitter le presentará.

Los trending topics

Se considera *trending topic* o, en castellano, tendencia, al asunto que genera mayor número de tuits en un momento dado o durante un período de tiempo, generalmente, las diez frases o palabras más repetidas a lo largo de un día. Son los temas que interesan a los usuarios de la red social y los que, de alguna manera, pueden dirigir a los periodistas hacia la noticia que puede tener eco, porque trata un asunto de interés general.

Las tendencias o *trending topics* que Twitter clasifica como tales aparecen en la parte izquierda de su perfil.

PRÁCTICA:

Busque las tendencias del día.

1. Haga clic en Inicio.
2. Localice el cuadro Tendencias, en la parte inferior izquierda de la página.
3. Haga clic en el asunto que le interese para ver todos los tuits relacionados con él.

Libros: Si desea profundizar en el uso de Twitter, por ejemplo, para subir contenidos multimedia, elaborar listas, etc., encontrará toda la información necesaria en el libro *Twitter para mayores*, de la colección *Títulos Especiales* de Anaya Multimedia.

Entrar y salir de Twitter

- Para entrar en Twitter, escriba la dirección `www.Twitter.com`. Si ha activado la opción para recordar su contraseña, accederá directamente a su cronología.

Si accede con un equipo o un navegador distinto, tendrá que iniciar sesión escribiendo su nombre de usuario y su contraseña.

- Para salir de Twitter, haga clic en el icono **Perfil y configuración**, en el extremo derecho de la barra de herramientas y seleccione Cerrar sesión.

Truco: Si accede a Twitter con frecuencia, lo más práctico es agregar su página a Favoritos o a Marcadores, según el navegador que utilice.

Darse de baja en Twitter

PRÁCTICA:

Desactive su cuenta en Twitter

1. Haga clic en el icono **Perfil y configuración** y seleccione Configuración en el menú.
2. En la ventana de configuración de su cuenta, haga clic en la opción Desactivar mi cuenta, en la parte inferior derecha.

Desactivar mi cuenta

3. Escriba su nombre de usuario y contraseña si el programa se lo pide.
4. Twitter mantendrá los datos de su cuenta durante 30 días desde la desactivación, por si decide reactivarla, iniciando sesión con su nombre de usuario y contraseña. Transcurridos los 30 días, no podrá volverla a activar porque sus datos habrán sido eliminados.

5. Si lo desea, también puede eliminar los datos de su cuenta de Twitter antes de desactivarla y si no piensa volver a darse de alta. Haga clic en Perfil y configuración>Configuración y borre la información de su perfil. También puede eliminar los tuits publicados, de uno en uno, haciendo clic en el botón **Más**, que muestra tres puntos, y seleccionando Eliminar Tweet.

GOOGLE+

Si usted utiliza el correo electrónico de Google, Gmail, ya es usuario de Google+, que es la red social de Google. Esta red se inicia automáticamente cuando usted añade datos personales y una fotografía a su cuenta en Gmail y le invita a crear círculos de amistad, de familia, etc. con los usuarios con los que se comunica con mensajes de correo.

Si no utiliza Gmail, también podrá darse de alta en la red Google+ y, al mismo tiempo, obtener una cuenta de correo, ambas, de forma gratuita.

Características y utilidad de Google+

Google+ es una red social muy popular en todo el mundo, que ofrece servicios similares a los de Facebook, como compartir información y contenidos, comunicación mediante mensajería instantánea de voz y vídeo, búsqueda de temas e intereses utilizando el símbolo #, formación de comunidades con intereses comunes, etc. Según Marketing Directo, Google+ cuenta con 2.200 millones de perfiles, aunque solamente un diez por ciento de estos usuarios utilizan la red y el resto se limita a utilizar Gmail.

Figura 3.24. Google+ invita a compartir y a formar grupos.

Alta en Google+

PRÁCTICA:

Regístrese en Google.

1. Vaya a la página inicial de Google, en `www.google.es` y haga clic en la opción Gmail.

   a) Si aún no tiene cuenta de correo, haga clic en Crear una cuenta para darse de alta, escribiendo su nombre de usuario y contraseña. Añada una fotografía o imagen para su perfil y ya puede acceder a su cuenta haciendo clic en Iniciar sesión.

   b) Si ya tiene cuenta en Gmail, acceda a ella con su nombre de usuario y contraseña.

2. Observe que, cuando reciba un mensaje, Google le ofrecerá añadir al remitente a sus círculos de amigos, familia, etc. Haga clic en Añadir a círculos y seleccione el círculo. [Añadir a círculos] Si lo desea, puede crear un círculo nuevo haciendo clic en Crear círculo nuevo y dándole un nombre, por ejemplo, `colegas`.
3. Cada vez que añada a un usuario a uno de sus círculos, este recibirá una notificación de Google. Igualmente, Google le advertirá por correo electrónico cada vez que alguien le añada a sus círculos pero en ningún caso indicará el tipo de círculo.

Privacidad en Google+

De forma predeterminada, tanto los nombres de las personas como los temas que usted añada a sus círculos estarán visibles de forma pública. Igualmente, lo que usted comparta en Google+ estará visible para las personas de sus círculos y para sus contactos de Gmail.

PRÁCTICA:

Controle la privacidad en Google+.

1. Haga clic en el icono de su cuenta, que muestra su fotografía. Puede verlo desde su cuenta en Gmail o desde la página principal de Google.

2. En la ventana de su cuenta, haga clic en Privacidad para leer la política de privacidad de Google.
3. Vuelva a la ventana anterior y haga clic en Cuenta.
4. Google le invita a controlar su seguridad y privacidad, mostrándole la página Comprobación de seguridad. Haga clic en Empezar.

Figura 3.25. La ventana de una cuenta en Google+.

5. Escriba su contraseña y haga clic en Iniciar sesión.
6. Si lo desea, puede añadir un número de teléfono o una cuenta de correo electrónico diferente, a utilizar en caso de pérdida de su contraseña. Haga clic en **Listo** si añade algo o en **Omitir** si no desea añadir más datos.
7. Revise su actividad. Si no hay acciones sospechosas, haga clic en Todo correcto.
8. Compruebe los permisos de su cuenta. Aquí aparecen las listas de contactos a la que su cuenta está enlazada. Si no desea mantener alguna de ellas, haga clic en **Eliminar**.
9. Para finalizar, haga clic en **Listo**.

PRÁCTICA:

Configure su cuenta en Google+.

1. Haga clic en el icono **+Tú** para acceder a Google+. Puede hacerlo desde su cuenta en Gmail o desde la página principal de Google.

+Tú

2. Haga clic en Inicio. Está situado en el extremo superior izquierdo de la página y muestra una pequeña casa.

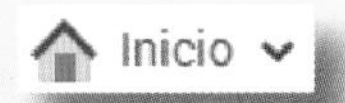

3. Cuando se despliegue el menú, haga clic en Configuración. Muestra una rueda dentada y se encuentra en la parte inferior del menú.
4. Ahora puede controlar quién puede interactuar con usted. De forma predeterminada, estará activada la opción Tus círculos. Haga clic en ella si desea modificarla. Si selecciona Personalizado, podrá elegir el tipo de círculo.
5. Localice el epígrafe Fotos y vídeos y compruebe quién puede ver o descargar las fotos y los vídeos que usted inserte en Google+.

El menú de opciones de Google+

La ventana de su cuenta en Google+ le ofrece diversas opciones que puede ver en la figura 3.26.

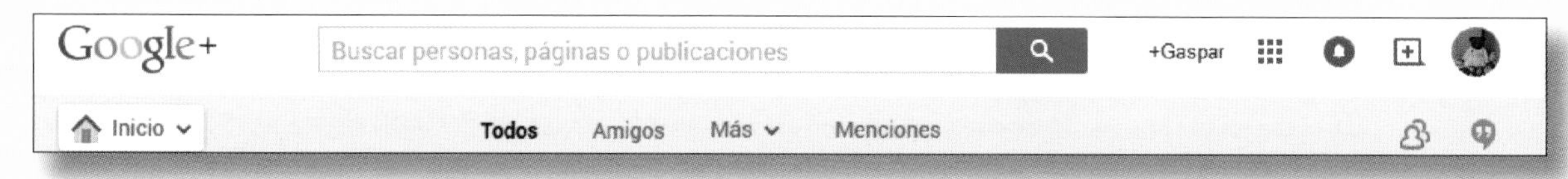

Figura 3.26. La cuenta de Google+ ofrece varias opciones.

- La casilla de búsquedas contiene la frase Buscar personas, páginas o publicaciones. Escriba el nombre de una persona, de un periódico, de una institución, etc. y haga clic en la lupa para localizarlo, por ejemplo `museo reina sofia` o `el pais`. Igual que en Twitter, podrá hacer clic en Seguir para estar al día en las actividades del usuario. También podrá añadirlo a sus círculos.
- +Tú. Haga clic para acceder a su cuenta en Google+.
- Aplicaciones. Haga clic para acceder a YouTube, Gmail, Google Play, etc.
- Notificaciones. Tiene forma de campana. Haga clic para leer las notificaciones de Google+.

- Compartir en Google+. Tiene un pequeño recuadro con el signo más. Haga clic para escribir un mensaje y compartirlo.
- Cuenta. Muestra su fotografía de perfil. Haga clic para acceder a su cuenta o a su perfil. También contiene la opción Cerrar sesión para salir de Google+.
- Inicio. Despliega un menú con opciones para acceder a su perfil, a otras personas, a fotografías, vídeos, eventos, comunidades, etc.
- Todos, Amigos, Más. Haga clic para acceder a esos círculos.
- Menciones. Contiene menciones a usuarios en publicaciones compartidas.
- Añadir a personas. Tiene forma de cabeza humana. Haga clic para localizar personas a las que añadir a sus círculos.
- Hangouts. Los Hangouts permiten enviar mensajes, establecer conversaciones o realizar videollamadas, así como compartir fotografías desde diferentes dispositivos, como el ordenador, el móvil o la tableta.

Truco: Si necesita ayuda, haga clic en Inicio y localice la opción Ayuda al final del menú. Escriba su pregunta o su duda en la casilla y haga clic en la lupa.

Danos tu opinión · Guía
Ayuda · País

Busque personas en Google+

PRÁCTICA:

Localice amigos y conocidos en Google+.

1. Haga clic en el icono **Inicio** y, en el menú, haga clic en Personas.

2. Revise los nombres de las personas que Google le sugiere y haga clic en Añadir a quienes desee, eligiendo el círculo adecuado.
3. En el cuadro de la izquierda, haga clic en la opción que desee.
   - Para localizar a alguien por su nombre, escríbalo en la casilla de búsquedas Busca a cualquier persona y haga clic en la lupa. No es necesario averiguar el nombre de usuario, porque Google+ incluye siempre el nombre real y los apellidos.
   - Haga clic en Te ha añadido para ver qué usuarios le han añadido a sus círculos. Haga clic en el nombre del usuario para ver su perfil.
   - Haga clic en Contactos de Gmail para seleccionar los contactos de correo electrónico a añadir a sus círculos de Google+.
   - Para encontrar compañeros de trabajo o de estudios, haga clic en la opción correspondiente y escriba el nombre de la empresa, escuela o institución. Si lo desea, puede indicar los años en los que trabajó o estudió. Si se trata de una institución con la que se relaciona en la actualidad, haga clic en la casilla Actualidad. Haga clic en Guardar y continuar para ver los perfiles de los usuarios que coincidan.

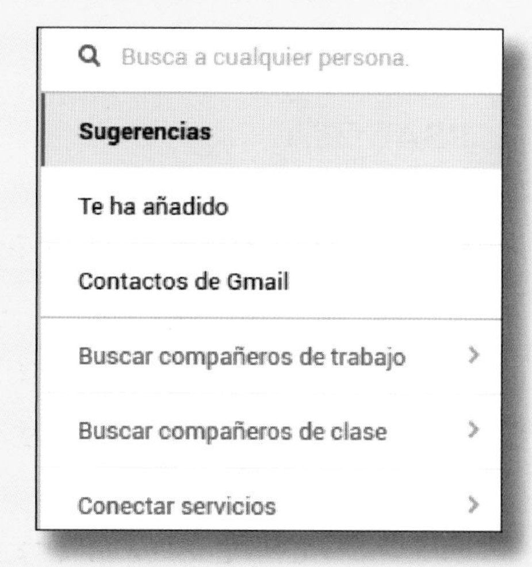

Figura 3.27. Busque amigos y conocidos en Google+.

Hangouts

Haga clic en Inicio y después en Hangouts para ver todas las posibilidades que ofrece esta opción. También puede iniciar una conversación o una videollamada con los usuarios de su red de contactos, haciendo clic en Iniciar la conversación. Haga clic en el usuario para ver su perfil.

Compartir en Google+

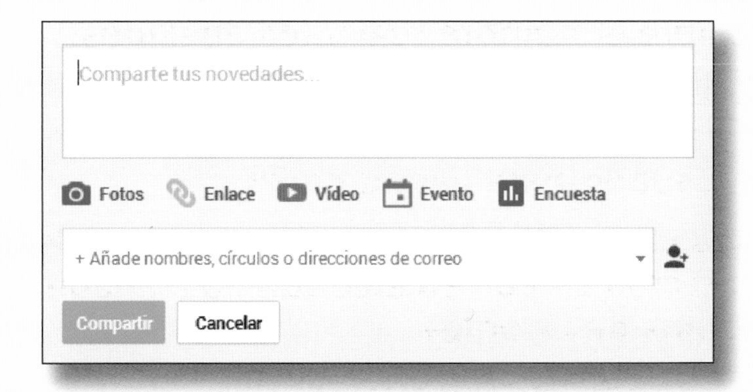

Figura 3.28. La ventana para compartir en Google+.

PRÁCTICA:

Comparta un contenido en Google+.

1. Haga clic en el icono **Compartir en Google+** , en la barra de herramientas de su cuenta.
2. Escriba el mensaje en el cuadro de texto Comparte tus novedades.
   - Para agregar imágenes o vídeos, haga clic en el icono correspondiente y localice el archivo en su equipo o arrástrelo desde su cuenta en Google+. Haga clic en Público si desea modificar el tipo de destinatarios y elija sus círculos. Haga clic en **Compartir**.

- Si incluye una dirección de correo electrónico o una página Web, haga clic en Enlace para insertar un hipervínculo que permita al destinatario acceder a esa dirección haciendo clic.
- Haga clic en Evento para incluir una invitación a un acontecimiento. Escriba el título, la fecha, el lugar y la información que desee. Haga clic en **Invitar**.
- Si desea realizar una encuesta, escriba la pregunta y haga clic en Encuesta, indicando dos o más opciones de respuesta.
- Haga clic en el icono **Buscar personas** , que tiene forma de cabeza humana, para localizar a otros destinatarios de su mensaje.

3. Haga clic en **Compartir**.

Truco: Si desea crear un evento, haga clic en el icono **Inicio** y seleccione Eventos en el menú.

Las comunidades de Google+

Para ver las comunidades existentes en Google+, haga clic en el icono **Inicio** y seleccione Comunidades en el menú.

- Si desea ingresar en una comunidad, haga clic en **Entrar**.
- Para localizar una de las comunidades escriba alguna palabra clave en la casilla de búsquedas y haga clic en la lupa.
- Para crear una nueva comunidad, haga clic en la opción Crear una comunidad. Elija si ha de ser pública o privada. Dele un nombre e invite a sus amigos y a su red de contactos a participar, enviándoles un mensaje.

Entrar y salir de Google+

- Para entrar en Google+, escriba la dirección `www.google.es` y haga clic en el icono de su nombre o en Iniciar sesión. El icono de su nombre precedido del signo más aparecerá solamente si ha activado la opción para recordar su contraseña y le permitirá acceder directamente a su perfil. Si accede desde otro equipo o navegador, tendrá que iniciar sesión escribiendo su nombre de usuario y su contraseña.

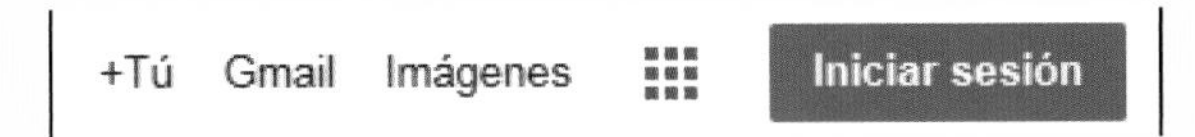

- Para salir de Google+, haga clic en el icono **Cuenta**, en el extremo derecho de la barra de herramientas y seleccione Cerrar sesión.

Truco: Si accede a Google+ con frecuencia, lo más práctico es agregar su página a Favoritos o a Marcadores, según el navegador que utilice.

Darse de baja en Google+

PRÁCTICA:

Elimine su cuenta en Google+.

1. Haga clic en el icono **Cuenta** en el extremo derecho de la barra de herramientas, que muestra su fotografía.
2. Haga clic en la opción Cuenta, en la ventana que aparece con su fotografía.

3. En la ventana Configuración de la cuenta, haga clic en la barra de desplazamiento derecha y arrastre el ratón hasta el final de la página, para localizar la sección Administración de cuentas.
4. Haga clic en las diferentes opciones para eliminar los contenidos de YouTube que haya podido insertar, su perfil, su cuenta y todos sus datos de Google. Para eliminarlo todo, haga clic en Eliminar la cuenta de Google y los datos.

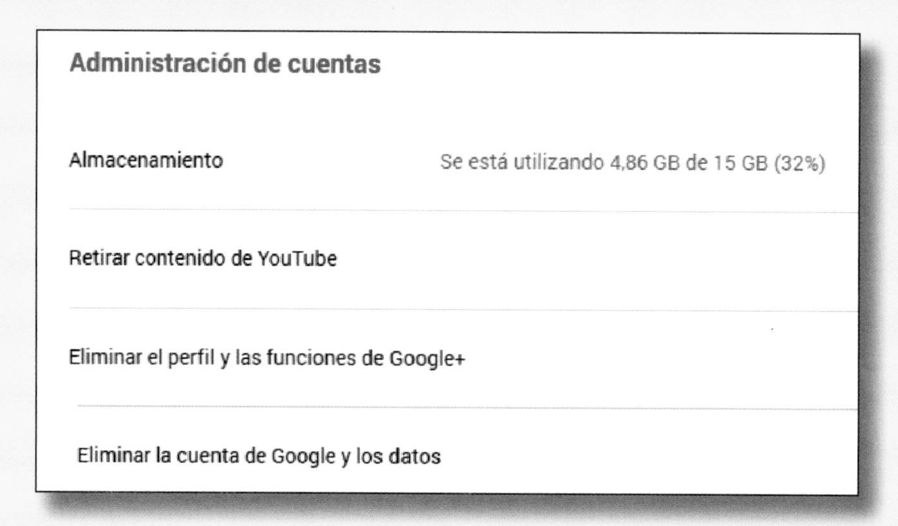

Figura 3.29. Opciones para eliminar su cuenta en Google+.

Info: Como todas las redes sociales, Facebook, Twitter y Google+ tienen versiones para teléfonos móviles y tabletas electrónicas, que puede descargar gratuitamente en las direcciones `www.facebook.com/mobile`, `twitter.com/mobile` y `www.google.es/intl/es/mobile`. Encontrará las aplicaciones para dispositivos móviles en Google Play, `play.google.com/store`.

4

Redes sociales especializadas

Como ya comentamos en el primer capítulo, hay también redes sociales especializadas en diversos asuntos, actividades o contenidos, algunos de los cuales pueden resultar de su interés.

REDES DE MENSAJERÍA INSTANTÁNEA

Las redes de mensajería instantánea están asociadas a programas de mensajería, como WhatsApp o Skype.

Skype

Skype es el programa de mensajería instantánea más popular, con el que se pueden enviar y recibir mensajes instantáneos escritos, verbales o mediante videollamada. También permite realizar llamadas telefónicas a través de Internet, gratuitas o con un coste mínimo, incluyendo llamadas internacionales. Hay versiones para el ordenador o para dispositivos móviles como tabletas electrónicas o teléfonos inteligentes.

Servicios gratuitos de Skype

- Son gratuitas las llamadas telefónicas o con vídeo siempre que el interlocutor o interlocutores estén conectados a Skype.
- Son gratuitos los mensajes instantáneos entre usuarios de Skype, incluso si contienen archivos adjuntos.

Servicios onerosos de Skype

Además de los servicios gratuitos, Skype ofrece otros servicios de pago, aunque a precios mucho más económicos que la telefonía tradicional.

- Llamadas telefónicas, tanto a fijos como a móviles, nacionales e internacionales.
- Envío de mensajes cortos (SMS).
- Conexión wifi a Internet.

PRÁCTICA:

Consulte las tarifas de Skype.

1. Vaya a `www.skype.com/es` para acceder a las páginas de Skype en español.
2. Haga clic en Precios>Tarifas (*Véase* la figura 4.1).

Figura 4.1. Las tarifas de Skype.

Instalación de Skype

PRÁCTICA:

Descargue Skype en castellano.

1. Vaya a la dirección `www.skype.com/es`.
2. Haga clic en el botón **Descargar**.

3. Seleccione el dispositivo para el que desea descargar Skype. Si es para el ordenador, haga clic en Descargar Skype para el escritorio de Windows.

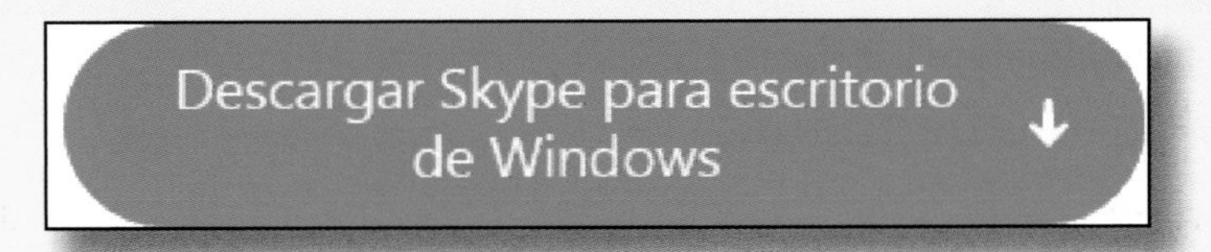

Figura 4.2. Descargue Skype para Windows.

4. Localice el archivo `SkypeSetup.exe` en la carpeta Descargas. Haga doble clic sobre él para instalarlo.

5. Al finalizar la instalación, haga clic en el botón **Comenzar a usar Skype**.
   a) Si tiene una cuenta en Facebook o Microsoft, podrá iniciar sesión con ella en Skype sin necesidad de registrarse. Recuerde que si tiene Windows 8, Hotmail o Outlook, ya tiene cuenta en Microsoft y puede acceder con ella a Skype escribiendo su nombre de usuario y su contraseña.
   b) Si no tiene cuenta en Facebook ni en Microsoft, rellene el formulario para registrarse y obtener su nombre de usuario y su contraseña.
6. Podrá utilizar la misma cuenta en todos los dispositivos en los que haya instalado Skype.

Configuración de Skype

Tras crear una cuenta nueva o iniciar sesión con su cuenta de Microsoft o de Facebook en Skype, el programa le presenta las opciones necesarias para configurarlo.

PRÁCTICA:

Configure Skype

1. En la pantalla siguiente, podrá configurar el sonido y el vídeo. Haga clic en Probar sonido para comprobar que podrá oír a su interlocutor. Si ha conectado la webcam, verá su imagen en la ventana. Haga clic en **Continuar** para pasar a la pantalla siguiente.
2. Para poner una fotografía en su perfil de Skype, haga clic en **Continuar**. El programa le ofrece estas opciones:
   - Añadir más tarde. En cualquier momento podrá poner una imagen o fotografía en su perfil, seleccionando el menú Skype>Perfil>Cambiar mi imagen.
   - Tomar una fotografía con la webcam. Cuando su imagen aparezca en la ventana de vista previa, haga clic en **Tomar foto** y después en **Usar esta foto** o, si no le agrada, en **Intentarlo de nuevo**. Siempre podrá cambiarla haciendo clic en Skype>Perfil>Cambiar mi imagen.
   - Para poner una fotografía o imagen almacenada en su equipo, haga clic en **Examinar**. Localícela y haga clic en **Usar esta foto** o, si no le agrada, en **Intentarlo de nuevo**.
3. La siguiente pantalla le invita a buscar amigos para crear su lista de contactos. Puede añadirlos o importarlos de otras redes sociales como Facebook. También podrá incluir números de teléfono si desea utilizar Skype para llamadas telefónicas.
4. Haga clic en Herramientas>Opciones y compruebe si la ficha General es correcta. Por ejemplo, la casilla de verificación Ejecutar Skype al encender el equipo aparece activada. Si no desea que Skype se ponga en marcha al encender su PC, haga clic en ella para desactivarla.

5. Para cerrar Skype, haga clic con el botón derecho del ratón en el icono de la barra de tareas de Windows y seleccione Salir de Skype. Si no desea cerrar el programa y solo dejar de utilizarlo, seleccione Cerrar sesión.

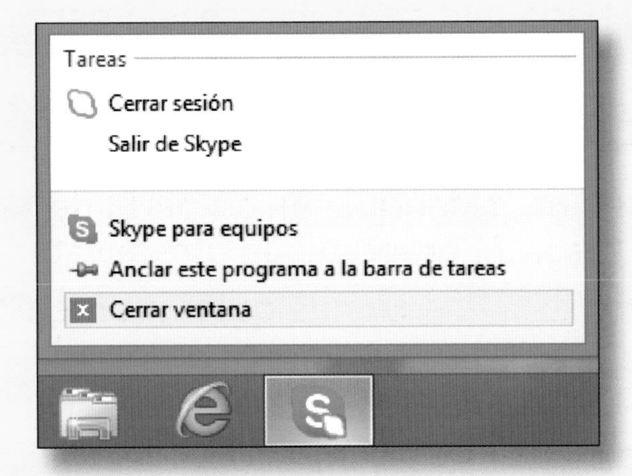

Figura 4.3. Salir de Skype o cerrar sesión.

Privacidad en Skype

El control de la privacidad en Skype se encuentra en el cuadro de diálogo Opciones.

PRÁCTICA:

Configure la privacidad de Skype.

1. Haga clic en el menú Skype>Privacidad.
2. En Configuración de privacidad, observe las opciones activadas y modifíquelas. Por ejemplo, Permitir llamadas de... tiene activado el botón de opción cualquiera, igual que las otras dos opciones. Haga clic en el botón **solo personas en mi Lista de Contactos** para restringir las llamadas y los mensajes.

3. Haga clic en **Guardar** antes de cerrar el programa.

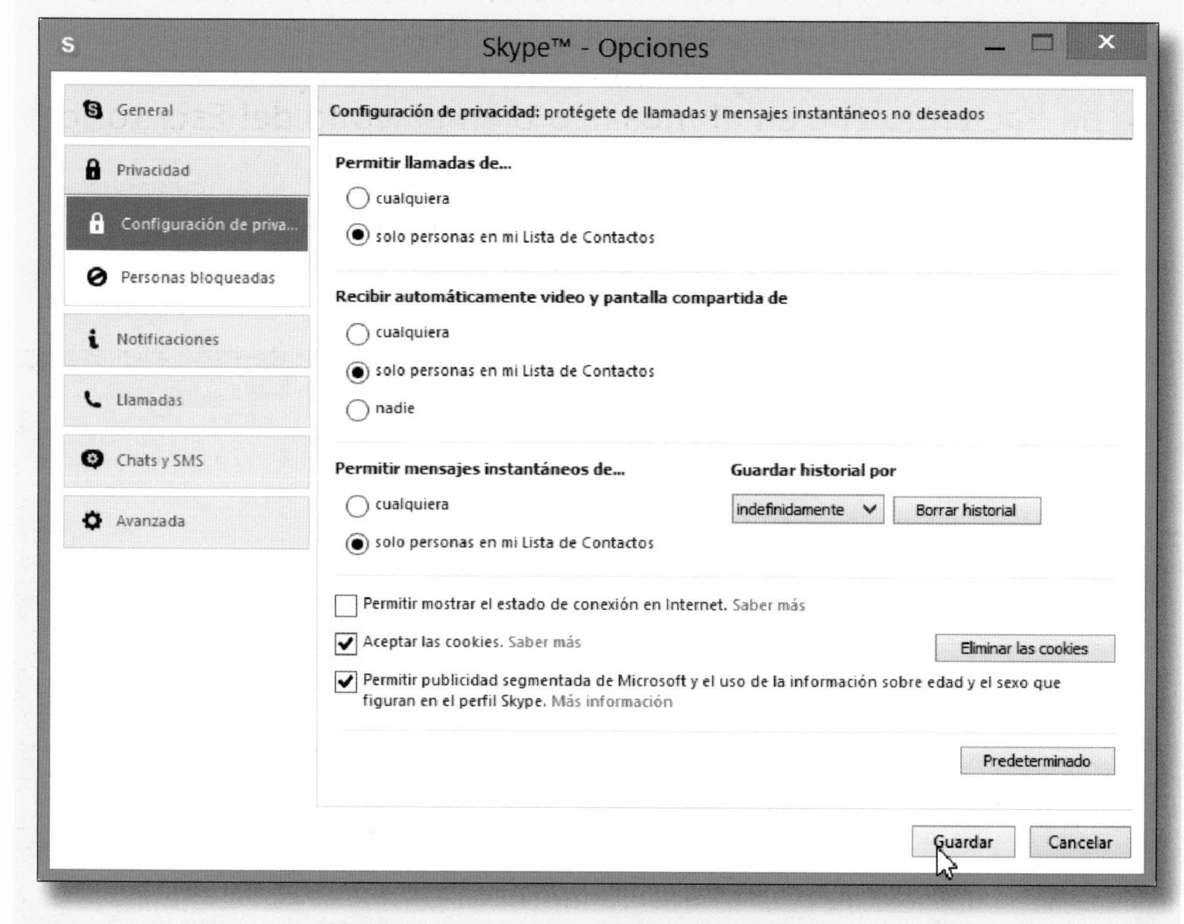

Figura 4.4. La privacidad en Skype.

Skype ofrece también la opción de bloquear a cualquier usuario molesto. Solamente hay que hacer clic con el botón derecho del ratón sobre él y seleccionar Bloquear a esta persona en el menú contextual que aparece.

También dispone de la opción Cambiar la contraseña en el menú Skype, si sospecha que alguien accede a Skype con sus datos o si cree que su contraseña es débil, es decir, fácil de descifrar. Se consideran contraseñas fuertes las que se componen de letras y números.

La ventana de Skype

Al instalarse, Skype crea un mosaico en Windows 8, así como un icono de acceso directo en el Escritorio de Windows. El comportamiento del programa es diferente si se pone en marcha haciendo clic en el mosaico o en el icono del Escritorio.

Para poner Skype en marcha, haga clic sobre el icono de Skype en el Escritorio. Escriba su nombre de usuario y su contraseña y se abrirá la ventana de Skype que muestra la figura 4.5.

Figura 4.5. La ventana de Skype.

- Bajo su fotografía, encontrará un icono verde con una pequeña flecha abajo. Es el botón **Cambiar estado**. Haga clic para configurar el modo en que le pueden ver los demás: Conectado, Ausente, Invisible, etc.

- Haga clic en su imagen cuando quiera acceder a las opciones de administración y configuración de su cuenta. Encontrará opciones para adquirir un plan de telefonía o para modificar su perfil.
- En la ventana inicial, debajo de su imagen, encontrará estas opciones:
  - Buscar. Aquí puede localizar personas por su nombre verdadero, por su nombre de usuario o por su dirección de correo electrónico. Escríbalo y haga clic en **Buscar en Skype**. Después haga clic en la persona que desee, de la lista que Skype le mostrará.
  - Inicio. Haga clic para acceder a la portada de Skype.
  - Llamar a teléfonos. Desde aquí se puede llamar a precios muy económicos utilizando el teclado de marcado, pero primero hay que contratar una tarifa con Skype. Si quiere contratar un plan de llamadas, haga clic en el enlace que desee, como Consultar todas las tarifas u Obtener un plan.

Cree una red social con Skype

- Para agregar contactos a Skype, haga clic en el menú Contactos y seleccione Importar contactos, para importar sus listas de contactos de correo electrónico o redes sociales.
- Para añadir un solo contacto, haga clic en Añadir un contacto. Escriba el nombre de usuario o la dirección de correo electrónico de la persona y haga clic en **Buscar en Skype**. Seleccione a la persona en la lista que Skype le muestra. Si no aparece es porque no está registrada en Skype.
- Los contactos que agregue a Skype no aparecerán como conectados en su lista de contactos hasta que acepten su solicitud, por tanto, no podrá llamarles hasta entonces. Puede enviarles un mensaje haciendo clic con el botón derecho del ratón sobre el nombre y seleccionando Enviar mensaje instantáneo.

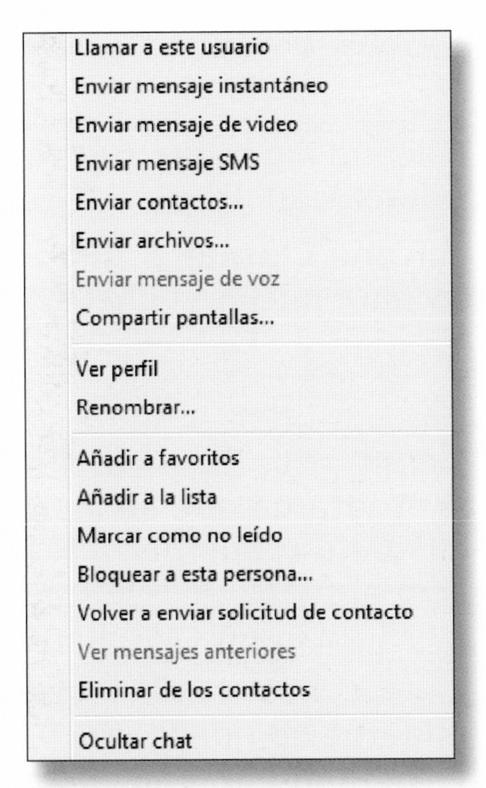

Figura 4.6. El menú contextual del contacto.

Aviso: Cuando envíe mensajes de invitación a algunas direcciones de sus listas de contactos, compruebe las casillas de verificación que aparecen activadas con una marca. Si no las desactiva, Skype enviará el mensaje a todos sus contactos.

- La ventana inicial de Skype ofrece un icono bajo el epígrafe `Contactos`, que muestra una pequeña flecha abajo. En la figura 4.5 puede ver el menú desplegado mostrando las opciones para presentar distintas listas de contactos. Seleccione Todo para tenerlos todos visibles.
- Para llamar a un contacto, haga clic sobre su nombre y después haga clic sobre el icono **Llamar** o **Videollamada**.

- Para crear un grupo, haga clic en Contactos>Crear nuevo grupo.
  - Haga clic en el icono **Agregar personas** para añadir contactos al grupo.

  - Haga clic en el icono **Llamar a grupo** o **Videollamada** para iniciar el chat en grupo.

Skype Click to Call

Si no se le ordena lo contrario, Skype incluye en su instalación un complemento, un programa que se instala en el navegador predeterminado del usuario y que permite efectuar una llamada telefónica a un número de teléfono con un solo clic. Se llama *Skype Click to Call* o, en castellano, Clic para llamar con Skype.

Es una llamada gratuita que se puede efectuar a un número de teléfono que aparece resaltado en una página Web, cuyo propietario invita a llamarle gratis. Generalmente se trata de páginas comerciales, como tiendas u hoteles, que ofrecen este servicio para que los clientes llamen sin coste alguno.

Advertencia: Es posible que alguna página Web contenga un número de teléfono al que llamar con Skype y que la llamada no sea gratuita. Por eso, conviene comprobar que el icono dice "Llamar gratis con Skype" o algo similar.

Los navegadores modernos tienen sus normas de seguridad y no permiten instalar complementos sin autorización del usuario. Por ello, lo normal es que, después de instalar Skype, su navegador solicite su permiso para instalar Skype Click to Call o bien para habilitarlo.

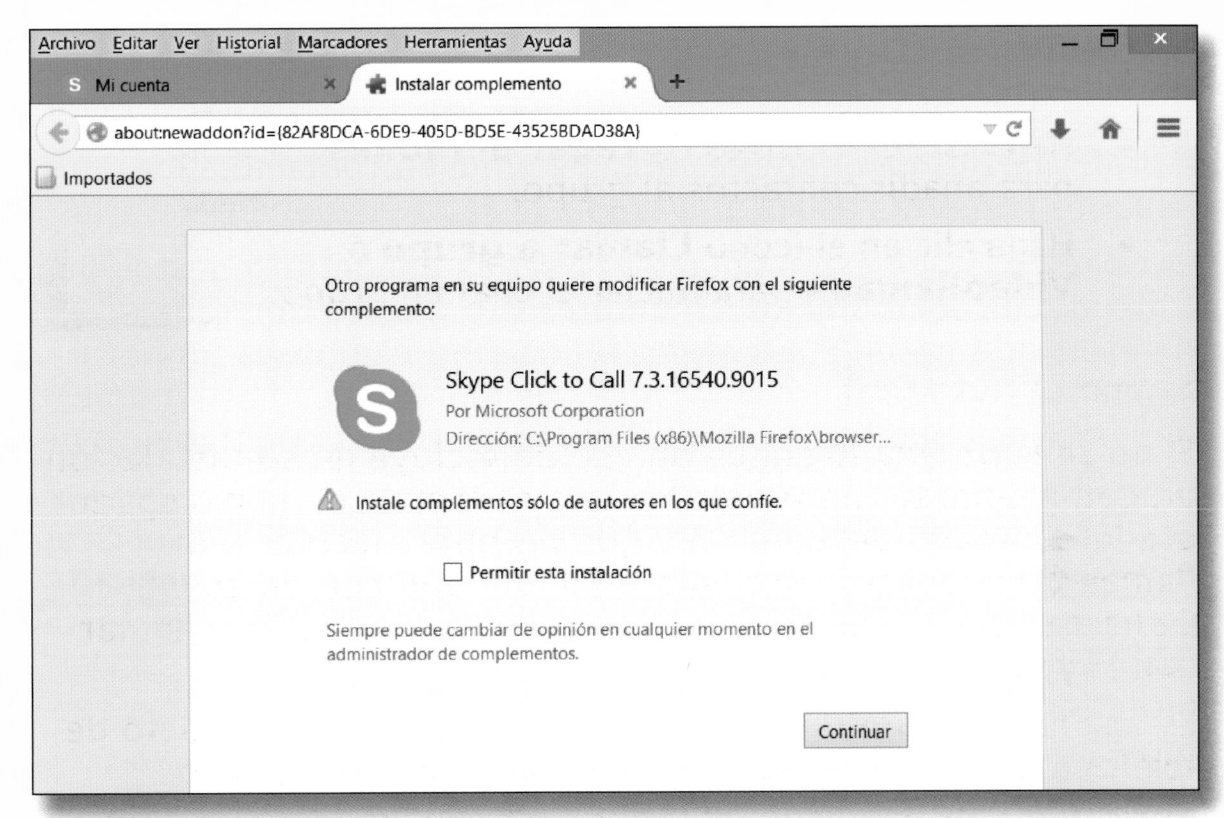

Figura 4.7. Firefox pide permiso para instalar Skype Click to Call.

Truco: Si ha instalado Skype Click to Call y desea eliminarlo de su navegador, podrá desinstalarlo en el Panel de Control de Windows, en el módulo Desinstalar un programa. Seleccione Skype Click to Call y haga clic en Desinstalar o cambiar.

Skype Click to Call

REDES PROFESIONALES

Las redes sociales profesionales agrupan colectivos que comparten actividades e intereses profesionales. Son de gran ayuda a la hora de obtener información y de compartir experiencias y conocimientos con un colectivo de intereses similares o de un sector del mercado.

LinkedIn

La más popular de las redes profesionales es LinkedIn que agrupa a profesionales de diferentes áreas y pone en contacto a los usuarios con otros usuarios o empresas que pueden interesarles.

Las personas que están en activo pueden encontrar puestos de trabajo o de colaboración en empresas o grupos que requieran determinado perfil. Si un grupo o una empresa busca un perfil similar, la red social envía un mensaje al usuario advirtiéndole de las visitas que recibe su perfil o de las ofertas de trabajo que requieren un perfil como el suyo.

Los jubilados también podemos beneficiarnos de esta red social si mantenemos alguna actividad y queremos continuar en contacto con el mundo profesional que se relaciona con esa actividad. En tal caso, LinkedIn permite establecer redes particulares con profesionales afines, entrar en contacto con usuarios de intereses profesionales similares o de un sector particular, por ejemplo, editorial, artístico, jurídico, político o social.

PRÁCTICA:

Conozca LinkedIn.

1. Vaya a la dirección `es.linkedin.com`, rellene los datos del registro y haga clic en Únete ahora.
2. Ponga una fotografía para su perfil y rellene la información académica y profesional que desee. Resalte en los resúmenes los conocimientos o experiencias que crea convenientes para los contactos que quiera establecer. Por ejemplo, si resalta su experiencia en educación, LinkedIn le ofrecerá entrar en contacto con personas o grupos del sector Formación a los que podrá ofrecer cursos, seminarios o conferencias.

3. Para formar su propia red de contactos en LinkedIn, localice a usuarios del sector de actividad que desee. Puede empezar por amigos o compañeros de trabajo o de estudios. Haga clic en la opción Red, en la barra de herramientas, para desplegar el menú y buscar contactos. También puede escribir el nombre en la casilla Buscar gente, empleos, empresas y demás y hacer clic en la lupa.

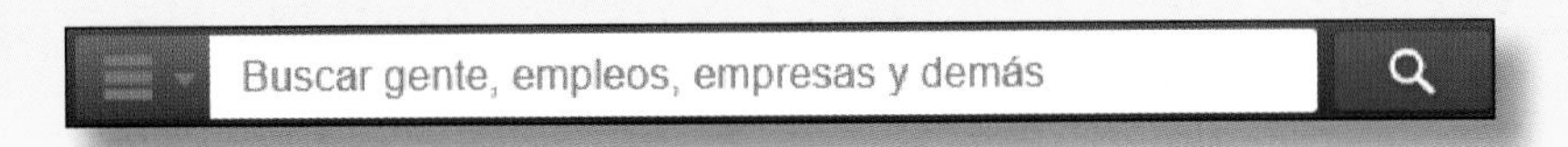

Figura 4.8. Busque conocidos en LinkedIn.

4. Para localizar personas o entidades de intereses afines, haga clic en Intereses, en la barra de herramientas, para desplegar el menú y seleccionar una opción.

Intereses
Empresas
Grupos
Pulse
Educación

5. Para establecer contacto con un usuario, haga clic en la opción +conectar junto al nombre del usuario. El programa le enviará un mensaje y le informará cuando ese usuario acepte unirse a su red.
6. En la parte inferior de la página de su perfil, encontrará grupos a los que puede unirse haciendo clic en Únete.

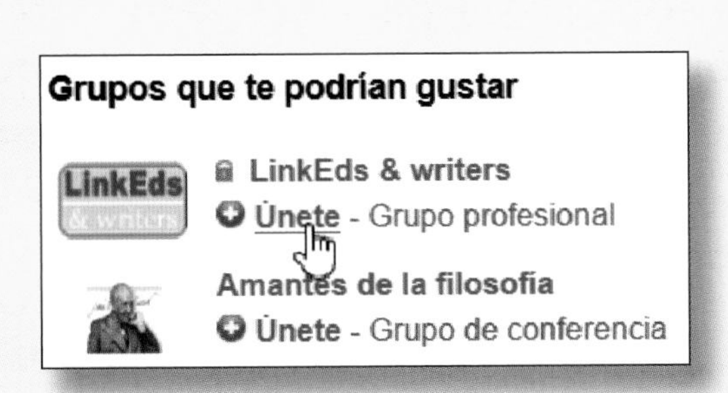

Figura 4.9. Únase a un grupo.

REDES ESPECIALIZADAS EN FOTOGRAFÍA, IMAGEN Y VÍDEO

Estas redes agrupan a usuarios profesionales o aficionados que comparten conocimientos, experiencias y resultados entre grupos determinados o públicamente creando exposiciones virtuales. Puede darse de alta en ellas con su ordenador o descargar la aplicación en su teléfono móvil o tableta electrónica.

Pinterest

Una de estas redes es Pinterest, que se encuentra en `es.pinterest.com`, en la que puede darse de alta insertando los datos de registro o accediendo a través de su cuenta en Facebook, siempre que autorice a Pinterest a acceder a ella. Podrá crear tableros con pines (marcadores visuales) referidos a distintos temas, buscar amigos y conocidos y compartir proyectos e ideas. El programa le irá guiando y le presentará propuestas a medida que usted vaya colocando pines en su tablero haciendo clic en el botón rojo **Pin it** y completando la información con imágenes o textos.

Pin it

Los tableros creados en Pinterest le resultarán de utilidad para realizar, por ejemplo, un viaje, una actividad al aire libre o un proyecto de decoración, porque le aportarán ideas, imágenes e información.

PRÁCTICA:

Conozca Pinterest.

1. Vaya a `es.pinterest.com` y regístrese. Puede utilizar su cuenta en Facebook, Google+ o Twitter. Recuerde que si utiliza Gmail ya tiene cuenta en Google+.

2. Localice a sus amigos y contactos de otras redes sociales, haciendo clic en Buscar amigos. Si quiere invitar a sus amigos a unirse a Pinterest, haga clic en Invitar a amigos.

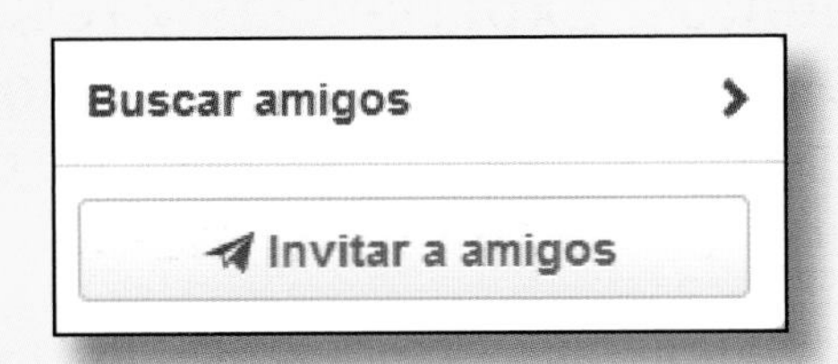

Figura 4.10. Localice a sus amigos en Pinterest.

3. Para configurar su cuenta y su privacidad, haga clic en el icono que tiene forma de rueda dentada y seleccione Configuración de la cuenta en el menú. Podrá hacer que el programa oculte su perfil para los buscadores como Google. No olvide hace clic en el botón rojo **Guardar configuración**, al final de la página. También puede modificar su perfil haciendo clic en el botón rojo **Editar perfil**.
4. Haga clic en Crea un tablero como para probar y rellene el formulario con el título, el tema y otros datos. Haga clic en el botón rojo **Crear tablero**.
5. El programa le irá guiando y presentando opciones en función del tablero que genere. Por ejemplo, si selecciona viajes o lugares a visitar, Pinterest le presentará la opción Añadir un lugar y un mapa para localizarlo. Tenga en cuenta que el programa está creado en USA y le presentará localidades de aquel país, si existen nombres similares con los de Europa, por ejemplo, Toledo.
6. Recuerde hacer clic en el botón **Pin it** para agregar pines a su tablero.

7. Para modificar o eliminar un pin o un tablero, haga clic en el botón **Editar** o **Editar tablero**.

8. Para compartir un tablero en Facebook, haga clic en el tablero y, en la ventana del tablero, haga clic en el botón **Más**, que muestra tres puntos suspensivos, y seleccione en el menú Compartir en Facebook.
9. Para compartir solamente uno de los pines, haga clic en la fotografía y, cuando se agrande, haga clic en la opción Compartir.
10. Para leer noticias y mensajes relacionados con su cuenta o con sus contactos, haga clic en el botón que aparece junto a su nombre, en la parte superior de la página.

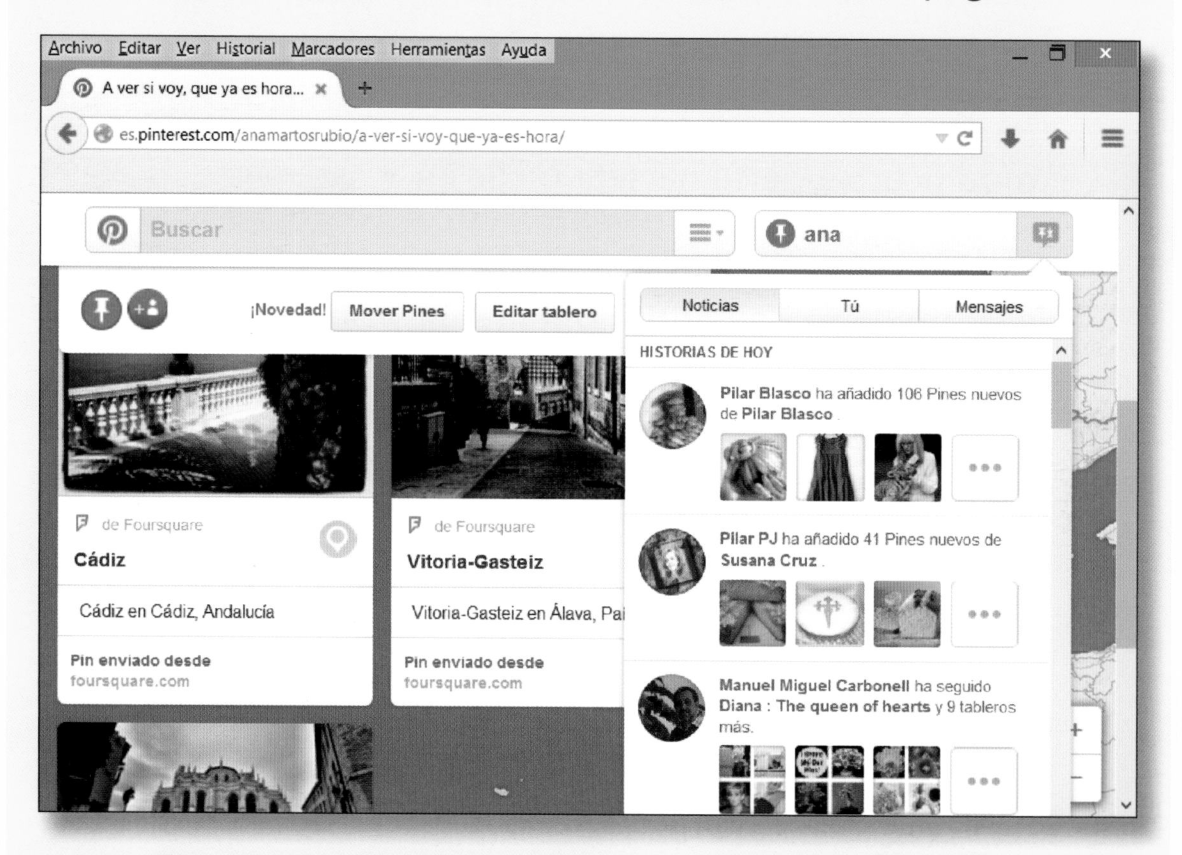

Figura 4.11. El tablero, noticias y mensajes en Pinterest.

YouTube

YouTube es la red social más popular para compartir vídeos en Internet. Podrá acceder a ella con su cuenta en Google.

PRÁCTICA:

Suba un vídeo a YouTube.

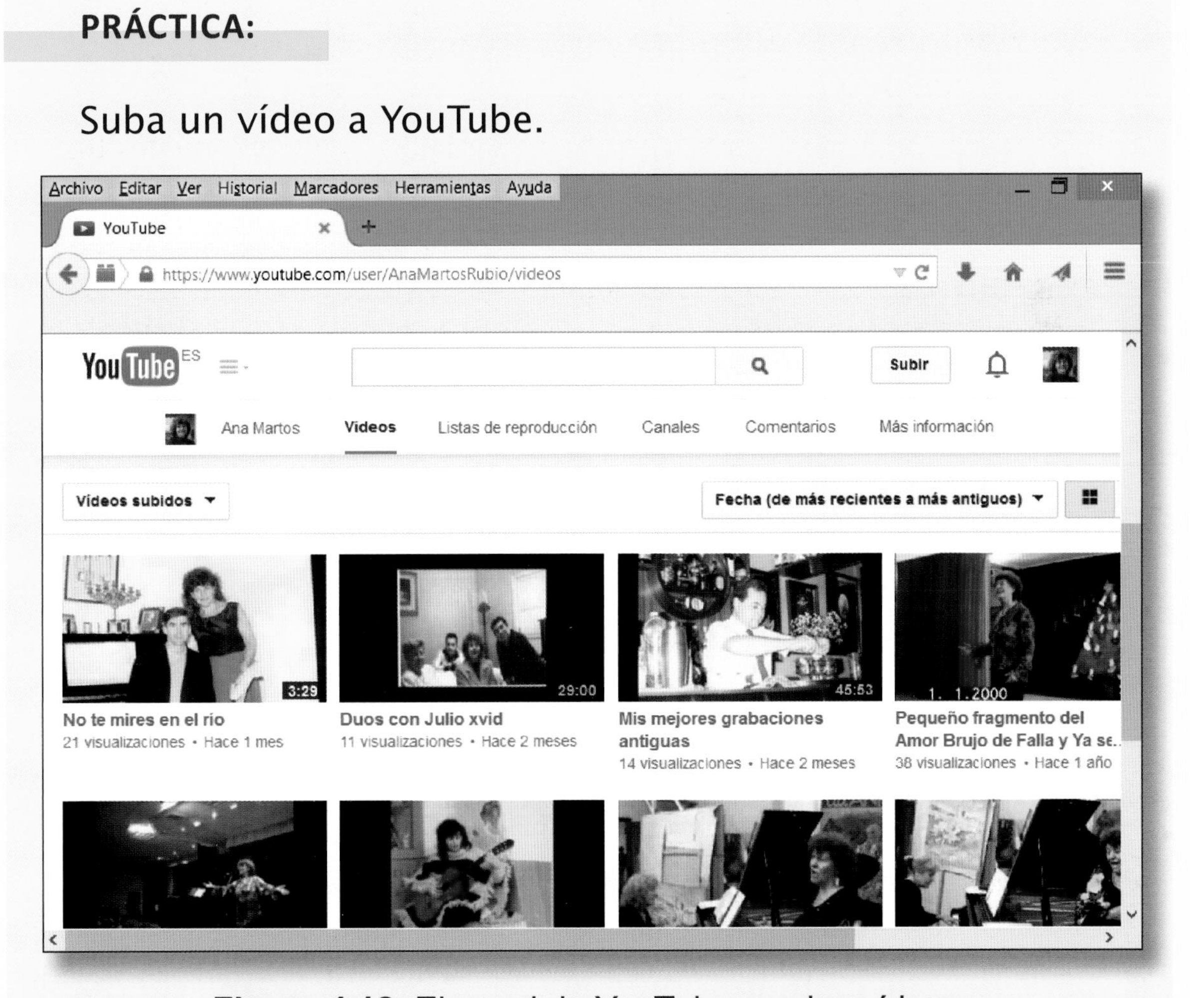

Figura 4.12. El canal de YouTube con los vídeos.

1. Vaya a la dirección `www.youtube.com` y haga clic en Iniciar sesión>Crear cuenta. Si tiene una cuenta en Google, acceda a ella.
2. Haga clic en la opción Subir, en la parte superior de la página.

Subir

3. Haga clic en la opción Público y seleccione el nivel de privacidad de su vídeo.
4. Haga clic en la flecha que apunta arriba e indica Selecciona archivos para subir,
5. Localice su vídeo en su equipo con el cuadro de diálogo Abrir. Cuando el nombre del vídeo aparezca en la casilla Nombre, haga clic en el botón **Abrir**.
6. Escriba el título y la descripción del vídeo en el formulario siguiente.
7. Haga clic en el botón **Publicar**.
8. Su vídeo aparecerá en el Panel al cabo de unos minutos. YouTube le presentará un mensaje con el enlace de su vídeo. Haga clic en él para verlo en su canal.

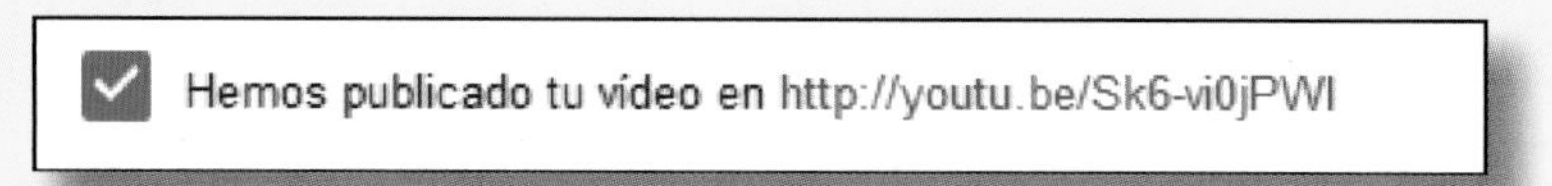

Figura 4.13. En enlace para acceder a su vídeo en YouTube.

PRÁCTICA:

Comparta su vídeo en las redes sociales.

1. Una vez que su vídeo aparezca en su canal, podrá reproducirlo haciendo clic sobre él.
2. Haga clic en el botón de la red social en la que quiera compartirlo. Los primeros botones por la izquierda corresponden respectivamente a Facebook, Twitter y Google+.

Figura 4.14. Los botones para compartir el vídeo en las redes sociales.

3. En la ventana siguiente, escriba, si lo desea, un comentario y haga clic en **Compartir**.

PRÁCTICA:

Retoque y gestione sus vídeos en YouTube.

1. Haga clic en el botón cuadrado que aparece junto al logotipo de YouTube.
2. Cuando se despliegue el menú, haga clic en Mi canal.

Figura 4.15. El menú.

3. Haga clic en Gestor de vídeos, en la parte superior de la página.

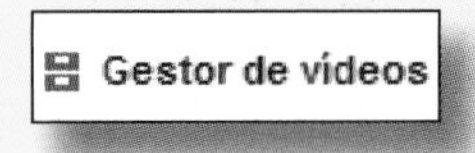

4. Observe que cada vídeo tiene botones para gestionarlo. Haga clic en el botón **Editar** para desplegar el menú de opciones, por ejemplo, Mejoras abre el vídeo en un panel con herramientas para mejorar la luz, la sensación, etc.
5. Para cambiar la privacidad de uno o más vídeos, haga clic en el botón azul de la derecha para seleccionar Público, Oculto o Privado.

5

Redes sociales para mayores

Los expertos calculan que hoy las redes sociales agrupan a más de 39 millones de personas mayores de 65 años. Y si la edad media de los usuarios de estas redes está subiendo, ya señalan que el segmento de población que más está aumentando en nuestros días es el de personas mayores de 74 años.

La mayoría de estos usuarios utilizan las redes sociales para mantener contacto con personas queridas con las que, por desgracia, no siempre es fácil comunicarse en directo. También se emplean para retomar contactos perdidos con antiguos compañeros de estudios, de profesión, de trabajo, de actividades intelectuales o deportivas, así como para iniciar nuevas amistades e intercambiar conocimientos con personas afines.

Además de las redes sociales que hemos visto en los capítulos anteriores y que podemos personalizar reuniendo a nuestros familiares, amigos y conocidos mediante herramientas tecnológicas, existen en Internet redes sociales especialmente creadas para personas mayores que deseen compartir información, experiencias e inquietudes.

No son redes tan extendidas ni populares como las que hemos visto en los capítulos anteriores, ni tampoco están tan concurridas como ellas, pero están conformadas por y para nosotros. Veamos algunas.

LA UNIÓN DEMOCRÁTICA DE PENSIONISTAS Y JUBILADOS DE ESPAÑA

Esta institución responde a las siglas UPD y tiene dos portales en Internet.

La página de la UPD

En la página de la UPD encontrará un listado de las asociaciones por comunidades autónomas. Está en la dirección `www.mayoresudp.net`.

Haga clic en su comunidad, en el menú de la izquierda, para obtener el nombre de la asociación y su dirección.

El portal de la UPD

El portal de la UPD se encuentra en la dirección `www.mayoresudp.org` y ofrece un foro y un concurso literario en el que puede participar. Si se da de alta en esta red, podrá obtener descuentos, asesoría y beneficios interesantes.

Figura 5.1. Participe en el concurso literario de la UPD.

PRÁCTICA:

Participe en el concurso literario de la UPD

1. Vaya a www.mayoresudp.org y haga clic en Quiero registrarme.
2. Rellene los datos del registro, su dirección de correo y su contraseña.
3. Cuando complete el registro, vuelva a la página inicial www.mayoresudp.org.
4. Haga clic en Concurso literario UPD ¡participa!
5. Lea las bases del concurso. Si desea imprimirlo, haga clic en Imprimir.

REDES SOCIALES PARA PERSONAS MAYORES DE 50, 60, 70

En las redes sociales generalistas o especializadas que hemos visto en los capítulos anteriores compartimos espacio con personas de todas las edades, pero también hay redes sociales concebidas para personas mayores de 50 o 60 años, con las que compartir intereses, gustos, problemas y aficiones más específicos. Veamos algunas.

Másvida50

Esta red proclama que hay más vida después de los 50, una vida que es diferente a la anterior y que, por tanto, ocupa un espacio distinto. La encontrará en masvida50.com.

Figura 5.2. Entre en el Club de Astronomía de Másvida50.

El portal de la red Másvida50 ofrece un menú muy completo para acceder a diferentes temas y contenidos, como Astronomía, donde encontrará un club de aficionados a esta ciencia, que realizan observaciones y publican fotografías en este espacio.

Post55

Como indica su nombre, esta red social agrupa a personas mayores de 55 años. Su dirección es `www.post55.es`. Encontrará concursos, conferencias, cursos prácticos en línea, como economía del hogar o declaración de la Renta, así como la Red del Conocimiento en Canal Senior, donde también podrá participar.

Haga clic en Regístrate para acceder a esta red y ver todos sus interesantes contenidos.

REGÍSTRATE

Figura 5.3. Post55.

60ymás

Encontrará la red social 60ymás en la dirección `www.60ymas.eu`. Haga clic en Regístrate. Una vez obtenga sus datos de acceso, podrá participar en las actividades de la red y compartir sus experiencias, imágenes o vídeos, haciendo clic en Iniciar sesión.

Mayormente

Esta red, que se compone de personas mayores de 50 años, se encuentra en la dirección `mayormente.com`. Contiene blogs, tuits, chat y otros recursos interesantes a los que se puede acceder después de registrarse.

Figura 5.4. 60ymás.

Figura 5.5. Mayormente.

Mayores por la cultura

Es una organización cultural creada en la red generalista que vimos en el capítulo 3, Google+. Merece la pena echarle un vistazo.

PRÁCTICA:

Conozca la red Mayores por la cultura.

1. Vaya a la página de Google, en `www.google.com` y haga clic en su acceso a Google+, que es su nombre de usuario precedido del signo +.

2. Escriba `mayores por la cultura` en la casilla de búsquedas y haga clic en la lupa.
3. Si quiere iniciar un chat, haga clic en Saluda a Mayores.

Saluda a Mayores

4. Haga clic en Sobre mí y en Publicaciones, para informarse sobre esta red (*Véase* la figura 5.6).
5. Si lo desea, haga clic en Añadir a círculos.

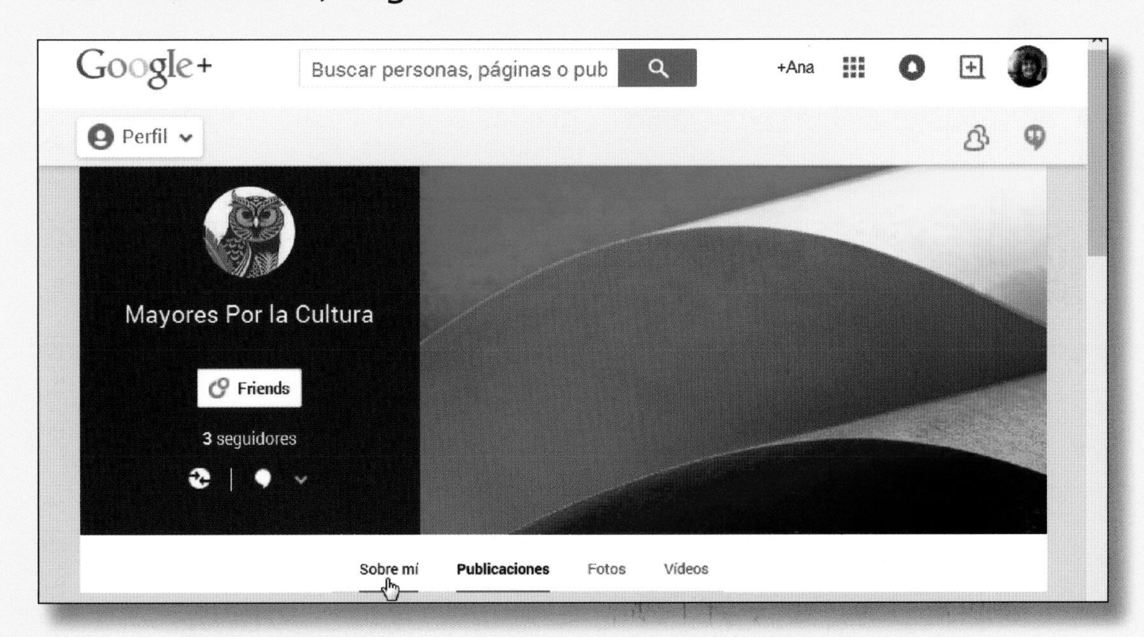

Figura 5.6. Mayores por la cultura está en Google+.

6

Las redes sociales en el ordenador, en la tableta o en el teléfono

Hace algún tiempo que las redes sociales salieron del ordenador y se instalaron en los pequeños aparatos electrónicos que nos acompañan a todas partes. Esto permite mantener el contacto o la fluidez de un contenido compartido con otros usuarios desde cualquier lugar y en cualquier momento.

Además de las redes sociales que hemos visto y que funcionan tanto con el ordenador como con dispositivos móviles, hay redes creadas específicamente para tabletas electrónicas y/o teléfonos inteligentes, como WhatsApp, Line o Instagram.

TELÉFONOS INTELIGENTES ORIENTADOS A PERSONAS MAYORES

El teléfono móvil es el dispositivo idóneo para tener a mano el acceso directo a las redes sociales. Pero no todos los teléfonos, por inteligentes que sean, son adecuados para cualquier usuario.

El mercado actual ofrece todo tipo de dispositivos móviles entre los que podemos encontrar algunos modelos orientados a personas mayores, que se pueden configurar para que su empleo resulte mucho más intuitivo y sencillo; cuentan con sonido amplificado y claro para las llamadas, facilidad para localizar los iconos de acceso a las aplicaciones más utilizadas y caracteres de mayor tamaño.

Algunos móviles que trabajan con el sistema operativo Android incorporan una función llamada *Easy mode* (Modo fácil) que permite personalizar la pantalla, haciendo más grandes y más visibles los caracteres y los iconos. Generalmente, se accede a estas funciones desde el icono **Ajustes**.

Existen asimismo aplicaciones, como *Big Launcher*, capaces de sustituir el entorno gráfico del teléfono móvil por una interfaz idónea para personas con dificultades de visión o para mostrar solamente los iconos que el usuario desee ver, desembarazando la pantalla de obstáculos.

Los teléfonos móviles orientados a personas mayores facilitan el acceso a las aplicaciones más utilizadas por cada usuario, lo que permite situar estratégicamente los iconos de las redes sociales preferidas.

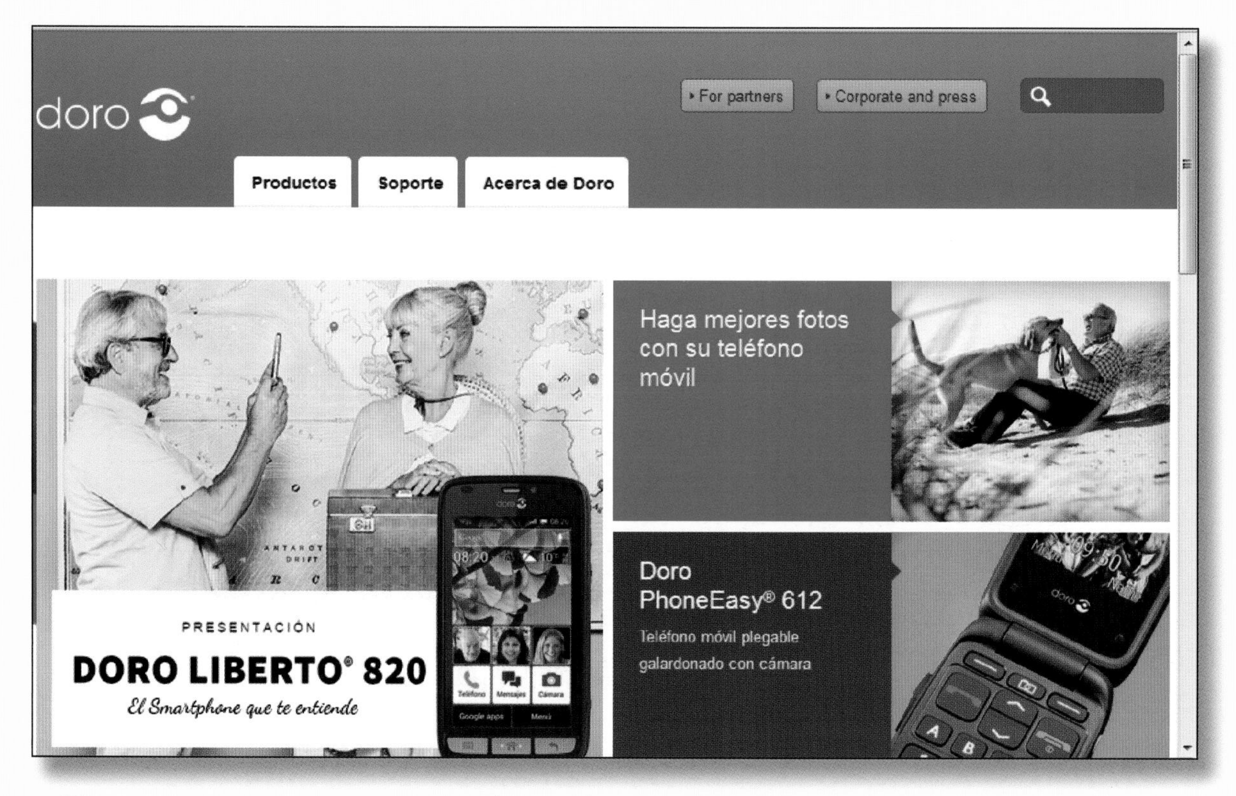

Figura 6.1. El mercado ofrece teléfonos orientados a personas mayores.

LA TABLETA ADECUADA

La tableta electrónica, a mitad de camino entre el móvil y el ordenador, es también un instrumento muy útil para conectarse a las redes sociales desde cualquier lugar, entre otras cosas, porque el tamaño de la pantalla la hace más cómoda que el teléfono.

Sin embargo, hay que tener en cuenta que, aunque una tableta lleve wifi incorporada, eso solamente la hace apta para conectarse desde lugares en los que haya una antena wifi disponible. Para poder establecer conexión con Internet desde innumerables sitios, sin necesidad de contar con wifi, hay que adquirir una tableta capaz de conectarse a las redes 3G o 4G. Y eso eleva el coste.

Figura 6.2. Las tabletas electrónicas son excelentes para las redes sociales.

Los recursos y aplicaciones que se aplican a la telefonía móvil están asimismo disponibles para las tabletas electrónicas, pero siempre que cuenten con el sistema operativo adecuado a cada aplicación.

Las tabletas suelen disponer de cámara y micrófono incorporados. La cámara delantera permite realizar videoconferencias, por lo que es importante tener en cuenta la calidad de vídeo en alta definición incluso en condiciones de baja luminosidad.

WHATSAPP

WhatsApp es el programa de mensajería instantánea más popular en el ámbito de la telefonía móvil. A diferencia de los mensajes cortos (SMS) que se utilizan en los teléfonos móviles tradicionales, los mensajes de WhatsApp son gratuitos, porque se envían a través de Internet. Eso, a su vez, supone tener una cuenta para conectarse a las redes wifi, 3G y/o 4G con el teléfono móvil.

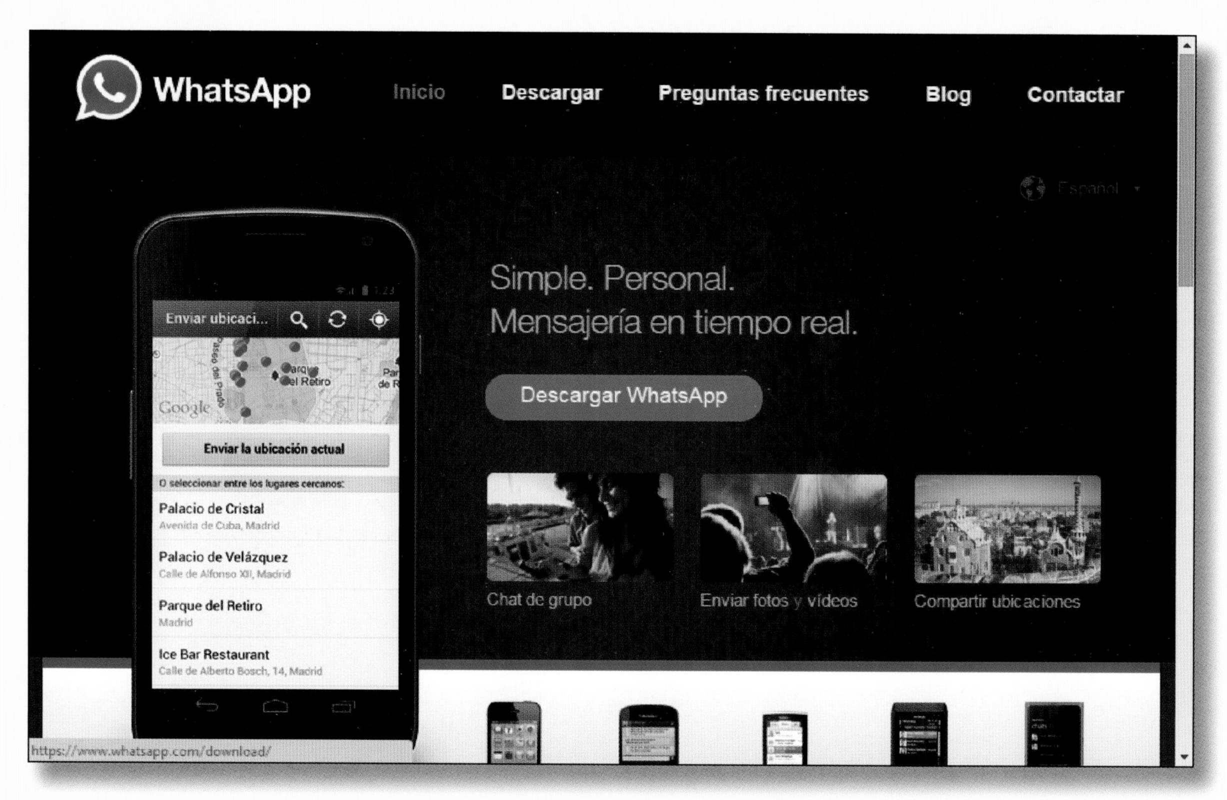

Figura 6.3. WhatsApp es el programa de mensajería más popular en el mundo de la telefonía móvil.

Los mensajes de WhatsApp se envían y reciben a través de un programa de mensajería instantánea llamado WhatsApp Messenger, capaz de utilizar la información del teléfono en que está instalado, en cuanto a contactos, direcciones y plan de datos.

Además de enviar mensajes, es posible enviar imágenes, archivos de sonido o vídeo y, ante todo, crear una red social privada formando grupos de amigos, familiares y conocidos, con los que compartir los recursos que el programa pone a disposición del usuario.

WhatsApp no funciona en todos los teléfonos móviles o tabletas, por lo que es preciso comprobarlo antes de descargarlo.

La página de descargas de WhatsApp ofrece la lista de los teléfonos que admiten esta aplicación. Si el suyo no aparece en la lista, no podrá utilizar este servicio. Por ahora, los dispositivos (teléfonos o tabletas) que solamente utilizan wifi no son compatibles con WhatsApp.

- Son compatibles con WhatsApp los teléfonos o tabletas que utilicen el sistema operativo Android versión 2.1 o posterior y siempre que se haya establecido con el operador un plan de datos móviles adecuado para poder recibir mensajes cuando no haya conexión wifi.
- Son compatibles: Android, iPhone, BlackBerry, Nokia S40, Nokia S60, Windows Phone, BlackBerry 10. Es preciso comprobar los requisitos y características en la página de cada fabricante.

Figura 6.4. WhatsApp es apto para estos dispositivos.

- Una vez descargado e instalado WhatsApp Messenger, es preciso comprobar si los contactos disponen también del mismo programa. De lo contrario, no será posible enviar ni recibir mensajes de WhatsApp a la persona que no lo tenga instalado.
- Los contactos que dispongan de la aplicación se pueden agregar fácilmente a WhatsApp. Hay que marcar el número de la misma forma que para llamar a la persona y después poner en marcha WhatsApp y, según el sistema operativo, actualizar Favoritos o Seleccionar contacto.
- Para enviar mensajes a un contacto incluido en WhatsApp, solamente hay que pulsar su nombre y enviar el mensaje.
- Para enviar fotos o vídeos, hay que pulsar la flecha situada a la izquierda y elegir la opción adecuada Seleccionar foto existente o Seleccionar vídeo existente o bien Hacer foto o grabar vídeo si no se han realizado previamente.
- Se puede crear un número ilimitado de grupos en la pantalla de chat y conversar con varios usuarios a la vez.

Info: Cada modelo de teléfono o tableta tiene sus normas e instrucciones de uso para WhatsApp. Encontrará toda la información necesaria en la dirección `www.whatsapp.com/faq/es/general`.

WhatsApp en el ordenador

La versión Web de WhatsApp, que se ejecuta desde Internet, permite enviar y recibir mensajes utilizando el ordenador, con la seguridad de que ninguna persona ajena podrá ver esos mensajes. Por el momento, los móviles iPhone, de Apple, no permiten esta característica. Tampoco es posible utilizar

WhatsApp en modo Web mediante cualquier navegador, sino que es imprescindible utilizar Google Chrome, porque es el navegador capaz de sincronizar con el sistema operativo de los móviles, Android. Es de suponer que, con el tiempo, el uso de WhatsApp desde el ordenador se extenderá a todos los sistemas, dispositivos y navegadores.

Encontrará la versión Web de WhatsApp en la dirección `web.whatsapp.com`, donde podrá iniciar sesión escaneando con su teléfono móvil el código que aparece en la página. Recuerde que solamente podrá acceder desde el ordenador si utiliza Google Chrome y si su móvil dispone de la última versión de WhatsApp. Tras la lectura de este código, la pantalla del ordenador imitará la pantalla del móvil y podrá enviar y recibir mensajes, incluso con archivos adjuntos, que quedarán almacenados en el teléfono móvil, no en el ordenador.

Figura 6.5. Escanee el código con su móvil para iniciar sesión.

INSTAGRAM

Instagram es la red social más popular en lo que a compartir vídeos y fotografías se refiere. Según *El Espectador*, es más popular que Twitter porque cuenta ya con 300 millones de usuarios, mientras que Twitter tiene 284 millones. En todo caso, ambas son diferentes. Twitter comunica con textos e Instagram lo hace con imágenes. En ambas redes, los usuarios son seguidores de otros usuarios o son seguidos por otros usuarios.

La utilidad de Instagram es subir fotografías, aplicarles filtros y mejoras, subir vídeos, comentarlos, compartirlos y seguir a otros usuarios empleando la opción Me gusta o, si está en inglés, I like it.

Instagram fue concebido inicialmente para subir y compartir fotografías con un dispositivo móvil que utilizase el sistema operativo Android. Pero, en 2012, Facebook adquirió esta red social y creó versiones para utilizar Instagram desde el navegador y, pronto, desde el ordenador. Por ahora, la versión para navegador no permite subir ni editar fotos o vídeos, sino únicamente ver, comentar o hacer clic en Me gusta, para las fotografías de los contactos.

Para instalar Instagram en un teléfono o tableta, vaya a la dirección `instagram.com` y haga clic en uno de los botones de la parte inferior, que llevan respectivamente a **Apple** o a **Google Play**. Podrá registrarse en Instagram a través de su dispositivo móvil y empezar a utilizar la red.

Observe que en la parte inferior de la página que muestra la figura 6.6 aparece la opción Privacidad, en la que puede hacer clic para leer la política de privacidad de Instagram.

Una vez que haya instalado Instagram en su móvil o tableta y se haya registrado como usuario, podrá acceder a los contenidos que muestra la ventana principal.

Figura 6.6. Descargue Instagram para su teléfono móvil.

- Inicio. Muestra las publicaciones actuales.
- Populares. Muestra las publicaciones más populares que marcan tendencias.
- Novedades. Muestra las actividades de los contactos.

La función principal de Instagram es la de tomar fotografías, por tanto, el panel central está ocupado por la cámara que tiene botones para activar el flash, cambiar a cámara delantera o trasera, tomar o retocar fotos. La edición de fotografías ofrece algunos filtros y marcos para mejorarlas.

Figura 6.7. Los botones de la cámara.

Figura 6.8. Instagram ofrece numerosas opciones de edición de las fotografías.

Las fotografías pueden llevar un título y van acompañadas del icono para pulsar Me gusta, como hemos visto en Facebook, y es posible compartirlas en las redes sociales utilizando los iconos correspondientes, como Facebook o Twitter.

Es posible localizar amigos y conocidos en Instagram o importar contactos de otras redes sociales o cuentas de correo electrónico pulsando Encuentra amigos y seleccionando Amigos de Facebook, Amigos de Twitter o De mi lista de contactos.

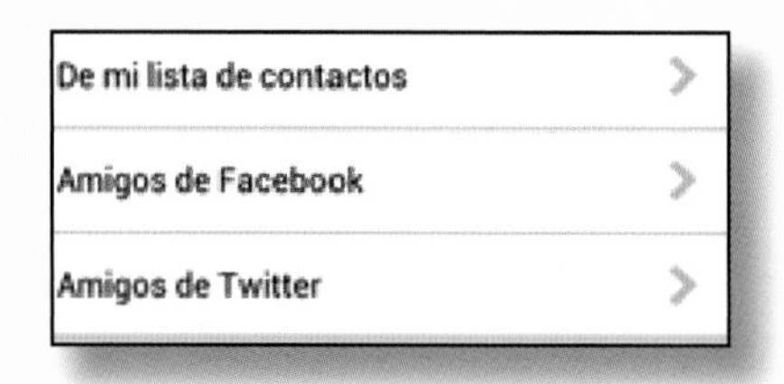

Figura 6.9. Encuentre amigos en Instagram.

Figura 6.10. Instagram es el mejor ejemplo de que "una imagen vale más que mil palabras".

Truco: Por ahora, Instagram no permite enviar mensajes directos a los contactos, como hace Twitter, pero se puede conseguir instalando una aplicación como InstaMensajes. Para poder enviar mensajes directos es preciso que el contacto tenga también instalada esta aplicación. Vaya a la dirección `play.google.com/store/apps` y escriba `instamensajes` en la casilla de búsquedas.